24.95

12/07

Une chance de plus

ROMAN

Une chance de plus

Brendon Burchard

Traduit de l'anglais par Michèle Zachayus

FIRST Editions

Ce livre est un ouvrage de fiction. Tous les noms, personnages et événements qui y sont décrits sont les produits de l'imagination de l'auteur, ou sont utilisés dans un cadre fictif et ne doivent pas être considérés comme réels.

Titre original : *Life's golden ticket*
© 2007 by Brendon Burchard
Première publication : HarperCollins

© Éditions First, 2007

ISBN : 978-2-7540-0524-1

Dépôt légal : 3ᵉ trimestre 2007
Imprimé en France
Edition : Anne-France Hubau
Mise en page : KN Conception
Conception couverture : Bleu-T

Nous nous efforçons de publier des ouvrages qui correspondent à vos attentes et votre satisfaction est pour nous une priorité. Alors, n'hésitez pas à nous faire part de vos commentaires :

Éditions First
2 ter, rue des Chantiers
75005 Paris – France
Tél : 01 45 49 60 00
Fax : 01 45 49 60 01
e-mail : firstinfo@efirst.com

En avant-première, nos prochaines parutions, des résumés de tous les ouvrages du catalogue. Dialoguez en toute liberté avec nos auteurs et nos éditeurs. Tout cela et bien plus sur Internet à www.efirst.com

Et si c'était à refaire ?

Si on vous offrait un ticket qui vous permette de bâtir une existence plus en accord avec vos désirs profonds, qu'en feriez-vous ?

Veuillez accepter cette invitation à découvrir le plus merveilleux des cadeaux : un ticket pour un nouveau départ.

En dédicace à mes parents,
Mel et Christiane Burchard

À mes frères et ma sœur,
David, Bryan et Helen,
pour m'avoir entouré de toute
la beauté de la foi, de l'amour et de l'amitié.
Vous avez ma reconnaissance éternelle. Je vous aime
tous.

Enfin, à Denise.
Merci, mon rayon de soleil.
Pour ton soutien, ta patience et ta foi en moi.
Je t'aime.

Prologue

Il y a dix ans, alors que je visitais un pays en voie de développement, j'ai survécu à un terrible accident de la route. Aujourd'hui, je me rappelle encore nettement l'instant où je me suis extirpé de la carcasse broyée – car c'est aussi l'instant où j'ai émergé de la dépression nerveuse qui avait récemment dévasté ma vie.

Cet accident représentait une parfaite métaphore de mon existence en cet instant précis : un trajet le long d'une route sombre, un virage abrupt et une perte totale de contrôle... Les mois précédents, j'avais rompu, interminablement et dans la douleur, avec la première femme que j'aie aimée. À l'époque, le type extraverti, débordant de vie et d'assurance que j'étais, s'était mué en un reclus déprimé qui doute de lui et repousse le monde entier de peur de souffrir à nouveau. Il me semblait avoir perdu tout contrôle sur le cours de ma vie. Mes pensées se teintaient de dégoût de soi, voire de réflexions suicidaires.

À maints égards, je considère que mon existence avait viré au cauchemar bien avant la nuit où nous avons pris ce virage sec à une vitesse avoisinant les 135 km/h.

Tout a basculé en un éclair. Nous avons fait une embardée, puis perdu la route de vue, et un gouffre noir béant s'est encadré dans le pare-brise tandis que notre voiture quittait l'autoroute. Le son de la radio s'est évanoui, et le vent a cessé de cingler les vitres. Le silence s'est fait tandis que la voiture voltigeait dans les airs. J'ai eu la sensation de voler, de ne plus rien peser du tout... *Mon Dieu*, ai-je pensé, *par pitié, je ne suis pas prêt...*

Quand j'ai repris connaissance, je ne voyais plus rien, hormis le faisceau des phares éclairant un champ obscur de canne à sucre, à travers un étroit orifice, devant moi – un trou dans ce qui avait été le pare-brise. Les portières et le tableau de bord défoncés nous incarcéraient, le conducteur et moi, dans une cage exiguë de métal froissé, de verre brisé et de plastique gondolé. Nous nous débattîmes pendant ce qui parut des heures pour nous arracher à cet étouffant cercueil.

Je me rappelle m'être faufilé par le pare-brise éclaté, redressé sur le capot déformé de la voiture, avoir baissé les yeux sur mon corps ensanglanté puis les avoir levés au ciel. Et c'est alors que tout a changé. Je me suis soudain senti comme arraché au naufrage émotionnel qu'avait été ma vie. Toute la peine, la colère, le dégoût et les regrets qui, ces derniers mois, avaient intoxiqué mon corps, avaient disparu ; la brume du doute et du déses-poir s'était évaporée. Ironie du sort, plutôt que de me causer du mal, l'accident m'avait libéré. Un sentiment de paix et de gratitude me submergea. Je me sentis *libre*, comme si les portes du possible venaient juste de s'ouvrir devant moi pour la première fois. On me tendait une invitation à découvrir le monde avec des sens et un regard neufs – un monde plus riche, plus coloré et plus fascinant que je n'aurais pu l'imaginer. C'était comme si, à cet instant précis, quelqu'un m'avait remis un « ticket gagnant » – le billet de la seconde chance. Après avoir contemplé les cieux, le cœur débordant de gratitude, pendant ce qui me parut une éternité, j'exhalai un profond soupir et sentis le souffle de la vie réinvestir mon corps. Pour la première fois depuis des mois, mon âme se mit à chanter.

> « *Voici le test pour découvrir si votre mission sur Terre est terminée : si vous êtes en vie, c'est qu'elle ne l'est pas.* »
>
> Richard Bach

Par miracle, le conducteur du véhicule et moi sortîmes presque indemnes de cet accident. Mais j'en ai tiré une leçon pour toujours : *tu as de la chance d'être vivant, tu peux tout recommencer, tu es encore de ce monde, alors retrousse tes manches : l'heure tourne !*

L'année suivant l'octroi de mon ticket de la seconde chance, j'ai réussi à repartir sur de bonnes bases en changeant entièrement de mode de vie. J'ai retrouvé confiance en moi. Je me suis attaché à bâtir des relations plus saines et plus belles. Je me suis laissé guider par la liberté et la foi, et j'ai placé la quête du sens avant la réussite. Un an environ après mon accident, il me semblait que mon existence m'appartenait vraiment, que je l'avais choisie plutôt que de m'en remettre au hasard.

Depuis lors, je m'efforce d'honorer la promesse que j'ai faite à l'instant même où j'ai reçu ce ticket pour un nouveau départ. Debout et bien vivant sur le capot plié de la voiture, j'ai murmuré cette promesse, que je n'oublierai jamais : *Merci ! Merci de m'accorder cette seconde chance. Je fais le serment de m'en montrer digne.*

Afin de mériter effectivement ce cadeau providentiel, j'ai toujours su, au fond de moi, qu'il était de mon devoir de partager mon ticket de la seconde chance avec d'autres. J'ai donc consacré ces dix dernières années à aider les gens à atteindre cet instant de grâce, tel que je l'ai vécu il y a bien longtemps maintenant. Cet instant où ils sentent les portes du possible s'ouvrir devant eux, cet instant où ils se sentent pleinement vivants et complètement libres ; cet instant magique où le sentiment qu'ils pourraient tout recommencer et bâtir enfin l'existence qu'ils ont toujours voulue les envahit. Et je vous invite à expérimenter cet instant unique en lisant ce livre. C'est, je l'espère, à partir de là, de ce que je décris, que votre vie pourra se transformer et vous entraîner sur la voie de l'épanouissement.

« *Viendra un temps où vous croirez que tout est fini. Ce sera le commencement.* »

Louis L'Amour

Quand vous aurez achevé votre lecture, je vous invite également à partager votre découverte avec ceux qui vous sont chers, afin qu'ils puissent à leur tour connaître de semblables expériences. Parfois, nous avons les moyens de changer la vie des autres simplement en partageant avec eux l'histoire de notre propre transformation. À n'en pas douter, le ticket de la seconde chance, avec tous ses secrets, s'est toujours transmis de cette façon, personne après personne, histoire après histoire.

Qu'est-ce exactement, que le ticket de la seconde chance, et à quel genre de vie nous donne-t-il accès ? J'espère que vous trouverez vos propres réponses dans l'histoire qui suit.

Première partie

L'enveloppe

J'étais en train de me raser dans la salle de bains quand j'entendis la voix du présentateur télé :

« *Nous interrompons notre programme pour vous communiquer les toutes dernières nouvelles concernant la disparition de Mary Higgins...* »

Je lâchai le rasoir dans le lavabo, nouai une serviette autour de ma taille et fonçai dans le salon. La photo de Mary remplissait la moitié gauche de l'écran. Stoïque, le présentateur des nouvelles régionales du soir expliquait :

« *Mme Higgins, qui a mystérieusement disparu il y a quarante jours, aurait été retrouvée...* »

Oh, mon Dieu ! Je m'attendis au pire...

« *... Un officier de la patrouille autoroutière du comté de Clark a déclaré que Mme Higgins avait été emmenée...* »

Le téléphone sonna. L'œil rivé au poste de télévision, je tendis un bras au jugé.

« *... à l'hôpital il y a tout juste quinze minutes, où elle aurait été...* »

Je décrochai le combiné à mi-sonnerie, et Linda, la mère de Mary, déversa dans mon oreille un flot de propos incompréhensibles.

– Linda, moins vite ! Que se passe-t-il ?

– Nous sommes ici avec elle… Il faut que tu viennes ! On vient de la retrouver… On vient de *retrouver Mary* !

Je jetai un coup d'œil à la photo de Mary, à l'écran.

– Bon sang, Linda, soufflai-je dans le combiné. Ils en parlent au journal télé. Est-ce qu'elle va bien ?

– Nous sommes à l'hôpital. Il faut que tu viennes… tout de suite !

– Linda, *est-ce que Mary va bien* ?

– Viens le plus vite possible, c'est tout ! Chambre 410. Je dois te laisser. *Dépêche-toi !*

La communication fut coupée.

Lorsque je fis irruption à l'accueil de l'hôpital, je fus aveuglé par les flashes des appareils photo, et cerné par une marée de journalistes qui me fourraient des micros sous le nez en me bombardant de questions.

– Comment Mary se porte-t-elle ?

– Savez-vous ce qui s'est passé ?

– Avez-vous parlé à ses parents ?

De toute ma vie, je n'avais jamais été aussi heureux de voir une infirmière. Une femme bien bâtie en blouse blanche fendit la foule et me saisit le bras.

– Laissez-le respirer, cet homme ! Allons, dégagez le passage !

Elle me traîna derrière elle, écartant les journalistes d'une main impérieuse. Puis elle m'entraîna vers les ascenseurs, me poussa dans une cabine et se tourna pour tenir la meute en respect.

– Quatrième étage, me souffla-t-elle.

Pressant le bouton, je découvris dans un frisson que nous montions à l'étage des soins intensifs.

Les portes se fermèrent, étouffant les questions qui continuaient de fuser. J'inspirai cet air aseptisé propre aux milieux hospitaliers, chargé de javel et d'éther, en me rappelant combien je haïssais de tels endroits. Des images de mon grand-père, puis de ma mère en ces lieux m'apparurent fugitivement. De grâce, pourvu que ça ne recommence pas...

Les portes se rouvrirent. Une infirmière était assise à l'accueil.

– Madame, je cherche la chambre 410. Je suis...

– Je sais. Continuez tout droit et prenez à droite, à la première intersection. Cinquième porte sur votre gauche.

Elle n'avait pas fini de parler que j'avais déjà parcouru la moitié du trajet.

En passant le coin, je découvris la mère de Mary, Linda, qui était en larmes dans les bras de son mari, Jim. Un médecin leur parlait à voix basse. À distance respectable, le détective Kershaw, l'officier chargé de l'unité des disparitions, fixait le bout de ses chaussures.

J'inspirai profondément et m'efforçai de calmer les battements de mon cœur. En m'avançant vers eux, je m'adjurai de rester fort.

M'avisant le premier, Jim murmura à l'oreille de Linda, qui ravala ses larmes et s'écarta, me jetant un regard plein de détresse.

Oh, non ! pensai-je. *Non, par pitié...*

Le visage crispé, je m'approchai.

– Linda, est-elle en vie ?

Assis en face de moi, Kershaw triturait son carnet de notes en multipliant les coups d'œil à une de ces affreuses peintures marines qui semblent être de rigueur dans les salles d'attente. Il se doutait probablement que, s'il osait me regarder dans les yeux, mon poing pourrait partir tout seul. D'un ton contrit, il lança :

– Écoutez, je reconnais m'être trompé sur votre compte. Vu les circonstances, il est clair que vous n'étiez mêlé en rien à la disparition de Mary.

– Il était temps que vous le compreniez, espèce de... !

– On se calme ! m'interrompit Kershaw, se rencognant dans son fauteuil en levant les mains comme pour se protéger. Je sais bien que vous êtes bouleversé. Mais comme je l'ai dit, je ne faisais que mon travail. Vous ne pouvez pas me reprocher d'avoir envisagé que vous aviez joué un rôle dans cette histoire.

Toujours bouillonnant de colère, je gardai le silence.

– Bon, reprit-il. Écoutez... je ne vous blâme pas. Reprenons tout depuis le début, voulez-vous ? Parlons raisonnablement, comme deux personnes qui essaient de comprendre comment Mary a pu échouer sur cette autoroute... Je sais que nous y sommes revenus un millier de fois déjà, mais pourriez-vous me raconter encore la dernière fois où vous l'avez vue ? Me répéter avec exactitude ce qu'elle vous a dit ? Maintenant que nous savons où elle a fini, votre dernière conversation pourrait nous livrer un indice.

Notre dernière « conversation », je l'avoue à ma grande tristesse, avait été une belle engueulade. En y repensant, j'eus le cœur gonflé de honte et de regret.

Nous nous hurlions dessus dans la cuisine. Mary était lancée dans une autre de ses tirades du style *« nous devons absolument changer de vie »* ! Toujours les mêmes vieilles remontrances. Comme chaque soir, après dîner, depuis près de six mois. Elle ne supportait plus de me voir m'affaler devant la télé après le boulot, en avait marre de ma « distance », de mon cynisme, de ma lassitude, et de nous voir mener une existence qu'elle jugeait indigne de nous. Marre aussi d'en avoir marre, selon sa propre expression.

– Nous sommes en train de sombrer ! criait Mary. On patauge dans le désespoir, on nage dans le pessimisme...

« On nage dans le pessimisme »... une de ses expressions favorites chaque fois qu'elle montait au créneau.

– Tu ne mesures vraiment pas notre chance ! avais-je ironisé. Ma famille aurait *tué* pour s'offrir une piscine !

D'habitude, ce genre de trait avait le don de la désarçonner et de la calmer. J'avais l'art de détourner la conversation et de la faire rire. Mais ce soir-là, je fis chou blanc. Elle se renfrogna, et se mit à pleurer. Après avoir sangloté un moment, elle leva les yeux vers moi.

– Je crois que j'ai besoin de m'éloigner pour le week-end. J'allais te demander de m'accompagner. Mais... je ne pense pas que tu sois prêt.

23

Elle n'avait jamais adopté un ton aussi grave.

– Où vas-tu ? demandai-je. Je ne suis pas prêt *à quoi ?*

Elle marqua une pause.

– Au changement. Tu n'es pas prêt pour ça.

Nous y revoilà ! me dis-je.

Je me préparai à encaisser la liste de récriminations qu'elle concoctait depuis deux mois : « *Bouge-toi de ce canapé, mollo avec la bière, cesse de geindre, ouvre-toi un peu au monde, dis-moi ce qui se passe...* » Ça, c'était Mary tout craché : toujours à m'édicter des règles, à vouloir m'apprendre à vivre, bref, à tenter de faire de moi ce que je n'étais pas : une sorte de guignol soigneux, lisse et sensible.

– Quand donc cesseras-tu de vouloir me *contrôler* tout le temps ? Tu n'es pas ma mère, et je n'ai pas besoin que tu me répètes sans cesse que je dois changer ! Laisse-moi vivre ma vie, lâche-moi un peu, O.K. ?

– Mais tu ne vis pas ta vie, justement ! Tu restes planqué là, scotché à ta télé tous les soirs pour oublier ta pitoyable existence !

Là. C'était dit. Choqué, je la dévisageai.

Ses yeux voilés par ses longs cils qui effleuraient presque ses joues, elle poussa un profond soupir.

– Comme je le disais, tu n'es pas prêt au changement. Je le suis, moi. Et je vais le faire. Un ami m'a invité dans un endroit susceptible de bouleverser la vie des gens. Il m'a dit que ce cadre magique pourrait me stimuler, qu'il serait une source d'inspiration, que mes rêves pourraient se réaliser.

– Oh, là, chérie, une minute ! Tu vas à Disneyland ?

– Ce n'est pas de la blague. Je vais y aller.

Incrédule, je m'esclaffai.

– Tu passeras le bonjour à Mickey !

Elle ouvrit des yeux ronds, puis jeta sa tasse de café dans l'évier, où elle se brisa. Elle ramassa d'un geste vif les clés sur le bar et se dirigea vers la porte en ajoutant :

– À ce qu'on dit, cet endroit peut faire des miracles. Pour mon bien comme pour celui de notre couple, tu ferais bien de compter dessus.

Elle claqua la porte derrière elle.

Je faillis lui lancer : « Ne te fais pas mal en claquant la porte ! » Grâce au ciel, je m'étais abstenu.

Il y avait quarante jours de cela.

Kershaw ne sut jamais les détails de notre dernière querelle. Il n'avait pas à savoir. D'ailleurs, je me fiais à peu près autant aux autorités qu'à un vendeur de voitures d'occasion. Si Kershaw avait appris que nous nous étions quittés sur une dispute, il m'aurait cloué au pilori.

Je me levai.

– Vous avez raison. Nous en avons déjà reparlé un bon millier de fois, et je n'ai rien à ajouter.

Je tournai les talons pour rejoindre Jim, le père de Mary, au bout du couloir, à la machine à café.

– Bon, conclut Kershaw. Je suis certain que nous découvrirons ce qui est arrivé à Mary quand elle... enfin, si elle revient à elle.

Jim m'avait fait couler un café instantané.

– Voilà pour toi, fit-il à mi-voix.

Il n'était pas homme à pleurer, mais ses yeux étaient bordés de rouge.

J'étais responsable de... tout ça. J'en avais conscience.

– Jim... Je suis tellement navré...

Il m'interrompit d'un geste de la main.

– Non, répondit-il avec douceur, ce n'est pas ta faute. Oublie Kershaw et le battage médiatique de ces dernières semaines... Tu n'aurais rien pu faire de plus. Tu dois t'en convaincre. Linda et moi le croyons, sincèrement. Peu importe ce qui a pu se passer entre Mary et toi, nous savons que tu n'es pas en cause dans cette disparition. Et ce n'est pas non plus ta faute si Mary se retrouve ici aujourd'hui.

Sa voix se brisa, et il tourna les yeux vers la chambre.

– Si seulement notre petite Mary pouvait ouvrir les yeux et nous dire ce que s'est passé durant ces quarante jours. Je voudrais simplement qu'elle puisse... nous dire qu'elle va bien.

Sur son large visage aux traits affirmés, une larme roula.

Sentant une pression sur mon épaule, je rouvris les yeux. Le médecin de Mary était accroupi devant moi.

– J'ai dû m'assoupir..., fis-je d'une voix pâteuse.

– Ne vous en faites pas. Mary a repris connaissance, mais j'ignore combien de temps elle va rester consciente. Elle est très affaiblie, et nous ne savons pas si... hésita-t-il. Elle vous a demandé.

Oubliant que j'étais allongé en travers de quatre sièges de la salle d'attente, je voulus bondir sur mes pieds, et m'étalai de tout mon long, me meurtrissant le bas du dos.

Le médecin m'aida à me relever.

– Allez-y doucement. Nous préférons vous avoir comme visiteur que comme patient.

Secouant la tête, je chassai les brumes de mon esprit puis fonçai vers la chambre 410.

Linda en ressortait. Elle ferma doucement la porte derrière elle.

– Elle est consciente ? lançai-je, le souffle rauque.

– Oui. Elle a parlé, mais elle est très faible. Ses propos n'ont pas beaucoup de sens. Elle marmonne quelque chose à propos d'un miracle. Elle te réclame.

La pâleur de Linda faisait ressortir les fines rides de son visage.

– Parle-lui... Dis-lui que tu l'aimes. C'est peut-être la dernière fois que... Dis-lui juste que tu l'aimes, conclut-elle avec un sourire triste.

La chambre était plongée dans une obscurité que repoussait à peine un chiche éclairage, au-dessus de la tête de Mary. Ces dernières heures, j'étais revenu à plusieurs reprises. Mais sitôt que je la revoyais allongée là, les larmes me montaient aux yeux. Elle avait la tête couverte de bandages et le bord d'une minerve lui gonflait les joues. Surélevée, sa jambe droite était prise dans un plâtre épais. Autour de Mary, cinq à six machines bourdonnaient et soupiraient dans un chœur terrifiant. Elle avait le souffle court et rauque. Pas un centimètre de sa peau si douce qui ne parût meurtri ou gonflé.

Je n'y comprenais rien. Elle se trouvait sur une route de montagne peu fréquentée quand ce camion l'avait renversée. Que faisait-elle donc là-bas ?

– Ma chérie, chuchotai-je en me penchant par-dessus la barre de protection du lit, ma chérie, c'est moi…

Aucune réaction.

Je lui frôlai la joue.

– Chérie, *je t'en prie…* dis-je, ravalant un sanglot, je suis tellement navré…

Elle ouvrit les yeux.

– C'est toi… murmura-t-elle entre ses lèvres contusionnées. Ne t'en fais pas…

Sa voix n'était qu'un souffle à peine audible.

Je ne pus réprimer un flot de paroles.

– Mary, tu ne peux pas savoir à quel point je suis désolé ! Je t'aime tant… Je suis tellement, tellement désolé, ma chérie…

Ses lèvres esquissèrent un faible sourire. La vivacité de son regard me surprit.

– Tout ira bien, fit-elle avec tendresse.

Comme si c'était *moi* qui gisais sur mon lit de mort…

– Mary, tu as eu un accident. Tu es hospitalisée…

– Je sais. Ne t'inquiète pas.

Je la regardai, abasourdi.

Elle continua de parler, détachant chaque mot.

– J'ai quelque chose à te dire… Je dois te demander de faire quelque chose pour moi.

– Tout ce que tu voudras… m'écriai-je, luttant désespérément contre les larmes. Tout ce que tu voudras !

Elle prit une profonde inspiration et se lança :

– Le parc de Bowman… J'ai besoin que tu y retournes pour moi. Pour toi.

Je secouai la tête. Le parc de Bowman ?

Elle riva son regard au mien.

– Oui, Bowman. Il faut que tu y ailles.

Mon esprit vacilla. Bowman était un ancien parc d'attractions niché dans les montagnes. Fermé au public vingt ans plus tôt, après qu'un petit garçon – le frère de Mary, alors âgé de huit ans – avait fait une chute mortelle du haut de la Grande Roue…

Quelques années après ce triste évènement, des rumeurs avaient couru, selon lesquelles les lieux étaient hantés. Et de temps à autre, les bruits se ranimaient, avec l'arrivée de nouveaux élèves dans les lycées locaux. Pourtant, depuis un an et demi, ces allégations avaient pris une tournure inattendue : le lieu soi-disant maudit était soudain devenu merveilleux. Une poignée d'illuminés avait commencé à affirmer que des miracles se produisaient là-haut. Des journalistes locaux avaient mené leur enquête, n'aboutissant à rien, cela va sans dire. Quant aux témoins de ces fameux miracles, aucun d'entre eux n'avait accepté de relater son expérience.

– Mary, dis-je doucement en secouant la tête, tu n'étais pas au parc de Bowman. Je sais que c'est là que ton frère a eu son accident, mais ils l'ont fermé, tu te rappelles ? Et tu errais à des kilomètres de là, sur l'autre versant de la montagne.

– Je sais… Écoute… murmura-t-elle, d'une voix toujours plus faible. J'y étais. Et maintenant, tu dois y aller, ou bien tu ne comprendras pas. Cherche dans mon blouson, au fond de la poche… il y a une enveloppe. *Ne l'ouvre pas.* Emporte-la aux portes du parc, et remets-la à mon frère.

Je ne pus retenir mes larmes. De toute évidence, elle délirait. Voilà qu'elle croyait son frère ressuscité… Comment notre dernière conversation en ce monde pouvait-elle prendre pareille tournure ? Le docteur m'avait prévenu qu'elle se trouvait sous sédatifs, l'esprit sans doute égaré entre rêve et réalité, mais là… c'était n'importe quoi ! Je me détournai pour qu'elle ne me voie pas pleurer.

– Attends… Regarde-moi…

Les joues ruisselantes de larmes, je pivotai vers elle. Elle prit une profonde inspiration.

– Tu te souviens des rumeurs ? Des prodiges du parc ?

– Oui.

– Voilà pourquoi j'y étais allée. Nous avions besoin d'un miracle…

Comment avais-je pu laisser les choses se gâter entre nous au point qu'elle en soit réduite à courir après des mirages ?

Elle écarquilla les yeux.

– Les rumeurs disent vrai.

Mary marqua une pause. Son visage se contracta, elle battit des paupières. Je crus qu'elle allait perdre connaissance.

– Des miracles…, répéta-t-elle. Prends l'enveloppe… Pars… il te faut découvrir ce qui m'est arrivé… vivre les mêmes expériences… Va…

De ses doigts fins, elle m'agrippa le bras avec le peu de forces qu'il lui restait – bien peu, en vérité.

– Promets-moi d'y aller … *tout de suite !*

– Mary ! criai-je, les yeux pleins de larmes et la poitrine écrasée de douleur. Ma chérie, pas question que je te quitte !

Elle poussa un léger cri, comme si une douleur enfouie venait de se ranimer. Sa main retomba sur le lit, inerte.

– Si tu n'y vas pas maintenant… tu ne sauras jamais ce qui est arrivé…

Fermant les yeux, elle marqua une autre pause.

– Promets-moi que tu iras, à la seconde même où tu sortiras de cette chambre.

Je secouai la tête.

– Je ne te quitterai pas.

Le souffle court, elle se tétanisa.

– Va… *maintenant !*

Je me levai en silence, lui caressant la main, ne sachant que répondre. Mes larmes s'écrasaient sur la couverture d'hôpital. L'une d'elles atteignit les doigts de Mary, qui plissa le front. Elle inspira un grand coup et murmura, les lèvres tremblantes :

– *Promets !*

Rien à faire… je n'avais pas le choix. C'était là sa dernière volonté. Les paupières baissées, je tentai de réfléchir à ce que je pourrais bien dire avant qu'elle ne rende son dernier soupir.

– C'est promis, dis-je doucement.

Sans lui lâcher la main, je me penchai pour l'embrasser sur le front.

– Je t'aimerai toujours… murmuré-je, et ma voix se brisa.

Alors, elle ferma les yeux, et ses traits s'apaisèrent.

Autour d'elle, les machines cliquetaient et bourdonnaient gravement.

– Comment ça, tu pars ? s'écria Linda en me dévisageant, incrédule. Maintenant ?

– Oui, répondis-je, embarrassé, ne sachant trop comment leur rapporter la requête de Mary, la promesse qu'elle m'avait extirpée.

Une infirmière m'avait remis son blouson tout taché de sang. Linda et Jim y jetèrent un coup d'œil effaré tandis que je le triturais entre mes mains,.

– Es-tu certain de devoir partir tout de suite ? fit Jim, plein de sollicitude.

– J'ai… j'ai fait une promesse à Mary. Je dois faire quelque chose pour elle, maintenant. Ça ne prendra que quelques heures. Je sais que ça a l'air fou, mais je lui ai donné ma parole. Je dois partir.

Je ne pouvais pas leur révéler ma destination. Comment pouvais-je leur avouer que j'allais de ce pas foncer au parc de Bowman, où leur cadet avait trouvé la mort ?

Linda faillit ajouter quelque chose mais elle se contint, se contentant de me fixer gravement. Je ne cessais de tourner et de retourner le blouson de Mary entre mes doigts.

Après un silence pénible, Jim reprit :

– Tu dois y aller, mon garçon. Si Mary t'a demandé quelque chose, tu dois le faire.

Sa femme eut l'air surprise. Elle nous fixa tour à tour, Jim et moi, puis secoua la tête.

– Je ne comprends pas. Pourquoi *tout de suite…* ? Ça n'a pas de sens…

Jim se tourna vivement vers elle pour l'étreindre, avant de revenir à moi.

– Fais ce que tu as à faire. Nous nous occuperons de tout ici. Nous te reverrons à la maison ?

Hochant la tête, je les serrai contre moi l'un après l'autre.

En ouvrant la porte de sortie pour emprunter l'escalier, j'entendis Linda pleurer, et demander au ciel pourquoi tout cela arrivait.

J'aurais voulu revenir sur mes pas et tout leur expliquer. Mais comment l'aurais-je pu ? Je ne comprenais pas davantage le sens de ma mission.

Pour déjouer l'attention des journalistes et de leurs caméras, je m'échappai par la sortie de secours de l'hôpital.

Le droit d'entrée

La camionnette cahota en quittant la quatre-voies pour aborder la route de gravier qui menait au parc. L'enveloppe blanche de la taille d'un billet de banque, tirée de la poche du blouson de Mary, glissa du tableau de bord tandis que je négociai un virage. Le papier froissé était constellé de taches vermeil.

Un nuage de poussière virevolta dans mon rétroviseur. Je conduisais vite, l'urgence m'incitant à écraser l'accélérateur. À l'horizon, le soleil déclinait, et je comptais avoir effectué l'aller retour avant la tombée de la nuit. En route, j'avais réfléchi – je devrais peut-être voir la Grande Roue où Todd avait été tué, et enterrer l'enveloppe à cet endroit. Mary voulait qu'elle lui soit remise.

À l'approche du parc, les hautes branches touffues des pins, formant comme une tonnelle naturelle, bloquaient les derniers rayons du soleil. Grêlé de nids de poule et jonché de branches mortes, le chemin paraissait ne plus avoir été emprunté depuis l'effervescence suscitée par les rumeurs et les articles de presse, un an et demi plus tôt. Et avant cela, quasiment personne n'était revenu depuis le décès de Todd, qui remontait pratiquement à vingt ans.

Au volant de ma camionnette brinquebalante, je suivis le chemin cahoteux pendant six autres kilomètres jusqu'à atteindre une belle clairière. Le front plissé pour tenter de distinguer quelque chose à travers le pare-brise poussiéreux, je découvris une immense prairie d'herbes folles bordée de pins. Et à quelques centaines de mètres, l'arche qui surplombait l'entrée du parc, toujours debout. Une palissade délabrée s'étendait de l'entrée aux bois jouxtant le champ. Au faîte de l'arche pendait une enseigne en contre-plaqué : « PARC DE BOWMAN ».

Au-delà se trouvaient six guichets tout aussi délabrés, un drapeau dont la hampe donnait de la bande, des bancs branlants et, cent mètres plus loin, le squelette circulaire de la Grande Roue. Je me souvins que, peu après l'accident de Todd, la compagnie Bowman avait fait faillite, n'ayant même plus les moyens de raser le site. Je me souvins aussi de ce que Jim m'avait dit un jour : il avait demandé à ce qu'on laisse la Grande Roue en l'état, comme une sorte de monument commémoratif. Bowman avait accepté. Il avait toutefois fait démonter les petites nacelles afin que personne ne risque de se blesser en y grimpant après la fermeture du parc.

Dépassant une futaie de conifères, je levai le pied, laissant la camionnette rouler doucement sur l'herbe haute. La lumière rasante réchauffait le côté gauche de mon visage. Je me tournai face au soleil, puis restai pétrifié. À une cinquantaine de mètres, la voiture de Mary semblait me narguer.

Je me garai près de la Honda, et sortis. L'air de la montagne était vivifiant ; les trilles des oiseaux et les stridulations des insectes bourdonnèrent à mes oreilles. Je tentais d'ouvrir la portière de Mary – en vain. Étrange. Elle avait peut-être fermé son véhicule avant de tenter de rentrer à pied.

J'attrapai son blouson et en fouillai les poches. Les clés s'y trouvaient. Sa voiture était peut-être tombée en panne.

J'ouvris la Honda, me glissai au volant et tournai la clé de contact. Le moteur démarra au quart de tour.

Pourquoi avait-elle laissé sa voiture là ? Comment avait-elle pu échouer sur l'autre versant de la montagne ?

Tandis que je m'extirpais de l'habitacle, les oiseaux cessèrent de chanter. Un étrange silence s'était abattu. Puis des cris et des rires d'enfants éclatèrent.

Surpris, je sortis en hâte du véhicule et lançai des coups d'œil aux alentours.

Quatre petits garçons jouaient au chat et à la souris devant l'entrée du parc d'attractions.

Je cherchai des yeux d'autres voitures. En vain.

– Eh ! criai-je. Les enfants, ohé ! Où sont vos parents ?

Ils continuèrent à jouer, comme s'ils ne m'avaient pas entendu.

Je contournai au pas de charge la cabine de la camionnette, saisis l'enveloppe sur le tableau de bord, la fourrai dans ma poche arrière et gagnai rapidement l'arche. Les gamins ne semblèrent pas remarquer mon approche.

– Eh ! répétai-je en arrivant près d'eux. Où sont vos familles ?

L'un des garçons leva les yeux vers moi en souriant. Puis il franchit le portail avec ses camarades, et ils se volatilisèrent.

Je restai figé sur place.

Le rire des gamins résonnait encore.

Je fis volte-face, scrutant le champ. J'étais seul. Quelques instants durant, la surprise me paralysa.

– Ohé ? *Ohé ?* Il y a quelqu'un ?

Pas de réponse.

Je fis quelques pas vers l'entrée, les yeux levés vers la pancarte qui la surplombait, comme si elle allait me révéler où les mômes avaient bien pu disparaître. Deux pas. Trois. Quatre. Je franchis le portail, et une véritable cacophonie se déversa brusquement dans mes oreilles : des rires d'enfants, des vrombissements, des klaxons, les cris des aboyeurs…

Je secouai la tête, fermant les yeux. Quand je les rouvris, je crus rêver. J'étais entouré de centaines de gens, répartis en six files devant les guichets. Des guichets flambants neufs, fraîchement peints… Derrière eux, étincelant de mille feux, s'élevait la grande roue. La toile des vastes tentes à rayures blanches et rouges ondulait doucement dans la brise du soir. Des clowns déambulaient çà et là, proposant des ballons et de la barbe à papa. Au loin résonnait le fracas d'un grand-huit et les glapissements joyeux de ses passagers. Des bonimenteurs interpellaient les jeunes gens pour les encourager à tenter leur chance, et à gagner des ours en peluche pour « leurs petites dames ».

« *Par ici, messieurs dames, par ici pour le plus grand jeu du monde !* »

Tout cela ne pouvait être vrai.

Incrédule, je secouai la tête. La vision persista. Tournant les talons, je reçus un nouveau choc : le parking était bondé. Des véhicules arrivaient, se garaient, d'autres klaxonnaient, attendaient une place. Le champ, vide quelques instants plus tôt, était noir de monde. Je cherchai des yeux ma camionnette. Elle était toujours là, près de la voiture de Mary, aux côtés d'une rangée d'au moins trente autres véhicules.

Hébété, je titubai en arrière. Des passants me jetèrent un regard interrogateur, comme si c'était *moi* qui jurais dans le décor ! Reculant d'un pas, je trébuchai sur quelque chose, atterrissant sur mon coccyx pour la seconde fois en quelques heures. Une vive douleur remonta le long de mon épine dorsale.

– Monsieur ! Tout va bien ?

Relevant la tête, j'avisai un homme d'un certain âge au visage allongé et bienveillant. Appuyé sur un balai, il portait un bleu de travail à fermeture Éclair, tout délavé, et des bottes de travail marron éculées, elles aussi.

– Je ne t'avais pas vu. Navré, fiston. Laisse-moi t'aider à te relever.

D'une main, il me hissa sur mes pieds.

– Ça va aller ?

Je restai sans voix. La surprise paralysait mes cordes vocales. Le gardien du parc ressemblait un peu à mon grand-père, en plus vieux. Grand-père était décédé quand j'avais douze ans, à l'âge de soixante-seize ans.

— Dé... désolé d'avoir trébuché sur votre balai, monsieur..., bredouillai-je. Êtes-vous... Je vous connais ?

— Je ne crois pas. Je m'appelle Henry, dit-il, passant son index gauche sur le prénom inscrit sur son bleu de travail.

Il me sourit puis se pencha pour saisir un ramasse-poussière et un petit sac poubelle

— Oh, ne t'en fais pas pour le balai ! Les gens sont toujours pressés d'entrer... J'ai l'habitude d'être bousculé.

Son balai fendant l'air, il ajouta en se détournant :

— Passe un bon moment, fiston.

Je le regardai un instant reprendre son travail avant de m'écrier :

— Attendez... Henry !

Le ton désespéré de ma voix me remplit aussitôt d'embarras.

Il pivota vers moi, l'air perplexe.

Je fis quelques pas vers lui.

— Alors vous... Vous dites que tout le monde est toujours pressé. Vous... travaillez ici depuis longtemps ?

Un autre sourire éclaira son visage.

— Oh, oui, ça fait un bon moment...

Il tendit ses mains calleuses.

Bafouillant, je demandai encore :

— Cet endroit est-il... est-ce que... êtes-vous *réel* ?

Henry s'esclaffa de bon cœur.

— Ah ! Si je suis réel ! Eh bien, tu sais quoi, ma petite dame disait souvent à ses amies que j'étais « trop beau pour être vrai », mais quand la vaisselle n'était pas faite, j'avais droit à un autre refrain !

Il se claqua la cuisse en rigolant.

Je souris poliment, trop dérouté pour trouver encore matière à rire.

Henry remarqua ma confusion.

– Allons, pourquoi fais-tu cette tête ? Nous voudrions tous revivre les étés de notre enfance, pas vrai ? C'est l'occasion ou jamais, conclut-il en désignant le parc d'un geste ample.

Sa voix était grave, mélodieuse et chaleureuse. Je jetai un coup d'œil aux mines réjouies des passants.

– Je ne suis pas là pour prendre du bon temps, Henry, j'en ai peur. Je suis venu pour comprendre ce qui est arrivé à ma fiancée.

– Oh… Que veux-tu dire ?

– Eh bien, elle est venue ici. Sa voiture est garée dehors. Mais quelque chose s'est produit. Un accident… Et elle est à l'hôpital. Elle m'a fait promettre de me rendre au parc. Elle m'a demandé de découvrir quel genre d'expérience elle a vécu ici, et de remettre une enveloppe à son frère.

Plein de compassion, Henry plissa le front.

– Un accident ? Que s'est-il passé ?

– Je l'ignore. Tout ce que je sais, c'est qu'elle était forcément ici. On l'a retrouvée sur l'autre versant de la montagne… continuai-je, désignant d'un geste le val-lonnement boisé qui s'étendait au-delà du parc. Elle a fini sur l'autoroute, par là-bas, et… un camion l'a per-cutée, ajoutai-je avant de marquer une pause pour retenir mes larmes. Bref, elle m'a fait promettre de venir ici.

Henry parut sincèrement attristé.

– Je suis vraiment navré, répondit-il d'une voix douce.

Les yeux baissés vers le sol, il semblait chercher les mots justes. Puis il me lança un coup d'œil perplexe.

– C'est curieux, ce que tu viens d'expliquer... Je ne saisis pas bien, fiston... Tu veux dire que tu *ignores* ce qu'elle a vécu ici ?

– En effet, je n'y comprends rien. Elle m'a tout simplement demandé de prendre une enveloppe dans son blouson, de venir ici, de découvrir ce qui lui était arrivé, et de donner l'enveloppe à son frère.

Henry me lança un coup d'œil perçant.

– Et comment s'appelle ta fiancée ?

– Mary... Mary Higgins.

– As-tu l'enveloppe avec toi ?

Il rivait sur moi un regard vraiment intense.

– Euh... oui.

Il tendit la main.

– Je peux la voir ?

La requête semblait étrange, mais je tirai l'enveloppe de ma poche arrière et la lui offris.

Henry la prit en disant :

– Bon sang ! Elle ne l'a jamais ouverte.

Sa remarque m'effraya.

– Quoi ?

– Quelque chose a déraillé ... fit-il, mal à l'aise.

Je réfléchis à toute vitesse.

– Qu'est-ce qui a déraillé ? Vous connaissez Mary ? Vous l'avez croisée ici ? Que lui est-il arrivé ?

Alors que les questions se bousculaient sur mes lèvres, Henry ne quittait pas l'enveloppe des yeux.

– Un instant... laisse-moi réfléchir.

Une longue minute d'attente anxieuse s'écoula.

– Tu es fiancé à Mary ?

– Oui. *Vous la connaissez ?*

– Non, répondit Henry, catégorique. Je ne connais pas Mary, et j'ignore ce qui a pu lui arriver. Les raisons qui poussent les gens à venir ici sont diverses, et chacun retire de l'expérience des leçons qui lui sont propres. Mais je sais en revanche que quelque chose s'est mal passé. Si elle n'a jamais ouvert l'enveloppe, continua-t-il en la tournant et retournant entre ses doigts, c'est que dans l'enceinte même du parc, quelque chose est allé horriblement de travers...

Comme s'il était parvenu à une décision, il me fixa en secouant la tête.

– Je vais t'aider à découvrir ce qui s'est passé. Il y a juste un problème...

– Lequel ?

Henry considéra les guichets.

– Tu n'as pas d'invitation, n'est-ce pas ?

Les nuances ambrées des cieux se fondaient dans les teintes plus sombres du crépuscule. Les lumières du parc clignotaient, attirant des escadrons de phalènes. Une tendre touche de bleue soulignait les contours des arbres, sur la ligne d'horizon. Avec la tombée de la nuit, l'air fraîchissait agréablement. Je me tenais derrière Henry dans la file d'attente en espérant que son plan fonctionnerait.

– Souviens-toi bien, me dit-il alors que la femme qui nous précédait avançait vers le guichet, tu ne peux pas entrer de ta propre initiative. Alors reste tranquille et laisse-moi parler.

La cliente qui nous précédait glissa quelque chose dans l'orifice du guichet. Je la vis sourire puis pousser le tourniquet qui délimitait l'accès au parc. Elle masquait toujours à ma vue la personne qui vendait les billets.

– Au suivant, s'il vous plaît ! tonna alors une voix féminine.

Henry me fit signe d'avancer. Je me plaçai devant la vitre et restai pétrifié à la vue de la guichetière. Énorme, elle occupait pratiquement toute la cabine. Tenant de la main gauche sa boisson glacée géante, un Slurpee, elle mastiquait un hot dog. Du ketchup et de la moutarde dégoulinaient du sandwich, tachant de gras sa robe d'été jaune aux allures de tente. La vitre du guichet était tout embuée. Un petit ventilateur d'appoint brassait l'air à l'intérieur, mais le large front de la guichetière perlait de sueur. Enfournant une bou-chée de hot dog, elle grogna :

– Que puis-je pour toi, mon petit ?

À quand remontait la dernière fois où on m'avait appelé « mon petit » ? Je ne m'en souvenais plus. Et restai bouche bée… jusqu'à ce qu'Henry me donne un léger coup de coude dans les côtes.

– Oh ! Bonjour… Je… Je voudrais entrer dans le parc.

– Quel scoop ! répondit-elle, sarcastique, manifestement plus intéressée par sa boisson Slurpee que par moi. Où est ton invitation ?

Henry me flanqua un autre coup de coude, cette fois pour que je m'écarte. Il se campa bien au centre, devant la vitre.

– Betty, ma chère, comment allons-nous aujourd'hui ?

Au son de cette voix, la femme s'arrêta de mastiquer.

– Henry ? Que fais-*tu* là ?

Elle posa son hot dog, tâchant d'essuyer les traces de moutarde de sa bouche et de sa robe. À son ton, on devinait qu'ici, Henry jouissait d'une certaine influence.

Il glissa à Betty l'enveloppe de Mary et attendit qu'elle l'ait examinée. Par son attitude, il faisait en sorte de me cacher à sa vue. Patientant près du guichet, je ne voyais plus le visage de Betty ; je distinguai juste ses grosses mains blanches tandis qu'elle retournait l'enveloppe entre ses doigts.

– C'est sérieux, Henry, dit-elle.

Il lui lança un regard profond.

– Je parie que tu désires en avoir le cœur net, ajouta Betty, adoptant un ton plus grave. Mais si tu veux te porter garant de ce gosse, tu en connais les conséquences. Es-tu certain d'y être préparé ? Es-tu sûr de miser sur la bonne personne ?

Henry hocha lentement la tête.

Un long moment s'écoula. Puis la guichetière se pencha, me jetant un coup d'œil.

– Allons, mon garçon. Big Betty fermera les yeux pour cette fois. Même si tu es un petit laideron…

Elle éclata de rire, faisant trembler la guérite tout entière. Puis elle lutta pour se retourner sur son siège et attraper un formulaire dans une corbeille, au-dessus de son épaule droite.

– Lis ça. Signe-le et c'est bon.

Elle nous passa le formulaire. Ses mains étaient deux fois plus grosses que les miennes.

Il s'agissait d'une simple feuille intitulée « Droit d'entrée ». Il y avait quatre cases à cocher en bas à gauche, avec une déclaration d'intention en regard de chacune. Au dessous, une ligne était réservée à la signature. Les engagements étaient les suivants :

* J'accepte de renoncer à ma dépendance vis-à-vis de mon expérience actuelle et d'être ouvert à toutes possibilités

* J'accepte de renoncer à mes mécanismes de défense et d'affronter la vérité

* J'accepte de renoncer à l'idée reçue que le changement ne se fait que dans la douleur

* J'accepte de renoncer à toute tentation d'abandonner ou de fausser compagnie à mon hôte

Quel genre de parc d'attractions vous faisait signer pareil contrat avant d'entrer ?

Après lecture, je relevai les yeux vers Henry.

– C'est ça ?

– C'est ça. À prendre au sérieux.

– Tu ne sais pas la chance que tu as d'avoir rencontré Henry, mon garçon, ajouta Betty.

D'un geste du menton, il m'enjoignit à signer le formulaire. Je m'exécutai, et le tendis à la guichetière, qui saisit un tampon en caoutchouc, et marqua une hésitation.

Je l'entendis chuchoter :

– Henry, tu es *vraiment* sûr pour celui-là ?

Penché sur elle, il lui lança une réponse que je ne pus saisir.

Plissant les yeux, elle m'observa une dernière fois, puis tamponna le formulaire et rendit l'enveloppe de Mary à Henry, qui me la passa. Je la remis dans ma poche arrière.

– Tu peux entrer, mon bonhomme, conclut Betty. On dirait bien que tu seras le dernier, aujourd'hui,.

Elle désignait la scène derrière moi. Étrangement, il n'y avait plus âme qui vive. Dans le parc, le mât central portant le drapeau se dressait seul, au centre d'une aire dégagée.

– Sois gentil avec Henry, ordonna Betty. Ici, nous l'adorons, et il vient de se porter garant pour toi. Alors sois reconnaissant. Allez, vas-y, entre.

Au prix d'un effort considérable, elle se leva, et se cogna aux parois en se retournant pour quitter son poste.

Alors qu'Henry m'invitait à franchir le tourniquet à sa suite, je jetai un dernier coup d'œil en arrière et vis Betty ahaner en se débattant pour atteindre la porte.

Henry et moi entrâmes. Nous avions à peine fait quelques pas qu'un craquement sourd nous arrêta. Pivotant, je vis le guichet s'ouvrir et une fillette s'en échapper en courant.

Elle ne pouvait pas avoir plus de huit ans. Elle portait une petite robe d'été jaune d'or toute mignonne. Souriant, elle gambada vers l'aire dégagée puis se volatilisa derrière l'un des pavillons aux rayures rouges et blanches.

Bouche bée, je scrutai le guichet.

Vide.

Je me tournai vers Henry.

– Vient-elle juste… est-ce que vous… est-ce que je viens de voir… ?

Henry attendit patiemment que je trouve mes mots.

– Est-ce que je viens juste… de voir ce que je pense avoir vu ?

Posant doucement la main sur mon épaule, il sourit.

– Il est peut-être temps que je t'explique ce qui se passe dans ce parc.

La chambre de vérité

L'esplanade, juste à l'entrée du parc, mesurait une vingtaine de mètres de côté. La brise faisait doucement claquer la corde, le long du mât creux. Les parois des tentes bordant la place ondulaient au souffle léger du vent. Tout autour régnait un silence surnaturel. Les froissements, les bousculades, les piétinements, les criaillements des bonimenteurs et les grincements de la grande roue s'étaient évanouis.

– Où sommes-nous, Henry ?

Songeur, il contempla les lieux.

– *Ça*, je ne peux pas vraiment l'expliquer. Nous nous trouvons dans un lieu où se produisent des prodiges. Ici, les gens peuvent devenir ce qu'ils ont toujours rêvé d'être. Voilà sans doute pourquoi tu as vu Betty se transformer en une petite fille rayonnante et joyeuse. Toutes sortes de métamorphoses s'opèrent dans ce parc.

– Mais comment est-ce apparu, comment cet endroit a-t-il pu... ?

Secouant la tête, Henry m'interrompit.

– Ces interrogations, garde-les pour toi. Commençons par la règle de base : pas de questions sur l'origine du parc ou sa nature, jusqu'à la sortie. Sinon, l'expérience ne peut pas être correctement menée, expliqua-t-il avec un regard qui signifiait : « *c'est à prendre ou à laisser* ». Fais-toi à l'idée que cet endroit peut faire des merveilles, et choisis de vivre pleinement l'expérience. Pigé ?

– Mais…

– Il n'y a pas de mais, coupa-t-il. Allez, suis-moi…

Il traversa la place, et je ne pus que le suivre docilement. J'avais des tas de questions à lui poser, mais j'étais si déstabilisé par les événements de ces dernières heures que je n'aurais pas pu aligner deux mots. Et d'ailleurs, Henry m'avait prévenu qu'il valait mieux que je m'abstienne.

Quand nous eûmes traversé la place, il me lança :

– Voici la Chambre de Vérité.

C'était minuscule, comme ces cabines photomatons autour desquels gravitent les gosses et les amoureux transis dans les centres commerciaux.

– D'ici quelques minutes, continua Henry, tu vas t'y asseoir, et nous allons cerner ensemble quelques-unes des raisons de ta présence ici. Tu vois, tous ceux qui viennent dans ce parc ont été invités par une personne qui les porte sincèrement dans son cœur. Et les gens acceptent l'invitation parce qu'ils savent que cet endroit peut changer le cours de leur vie. Voilà pourquoi Mary est venue ici : pour changer quelque chose. Dans leur grande majorité, les visiteurs n'ont cependant qu'une vague notion de ce qu'ils veulent modifier. La Chambre de Vérité les aide à y voir plus clair en les confrontant à la réalité de leur existence. Mais avant d'entrer là-dedans, tu as des questions à me poser, pas vrai ?

Il lisait dans mes pensées. Pendant qu'il parlait, j'avais retrouvé mes esprits, et une seule question me taraudait.

– Je suis navré de revenir là-dessus, mais… êtes-vous certain de ne pas savoir ce qui a pu arriver à Mary ?

Secouant la tête, Henry me dévisagea un instant.

– Je regrette, mais j'ignore ce qui a pu se produire. Chaque visiteur poursuit sa propre expérience. Ils font des tours de manège, jouent, mangent et se promènent en réfléchissant à leur vie. Mais ce qu'ils éprouvent et ce qu'ils apprennent… Cela dépend de leur parcours personnel. Ce que je peux te dire, c'est que tous, ici, doivent faire face à certaines réalités de leur existence, qui ne sont pas forcément réjouissantes. Parfois, les gens prennent peur, se renferment ou perdent pied. Quelque chose de ce genre a pu se produire pendant le périple de Mary, mais je n'ai aucune certitude. Ensemble, nous allons percer le mystère. Mais qu'une chose soit bien claire, dit-il en se campant devant moi : nous ne sommes pas là simplement pour faire une enquête. Ce lieu est celui du destin. Tu n'es pas là sans raison, et cela, ça dépasse Mary. Je veux parler de la raison qui a rendu ce parc visible à tes yeux alors que tu n'avais pas d'invitation, qui t'a fait trébucher sur mon balai, et qui m'a incité à te venir en aide. Rien ne se produit sans raison.

– Pourquoi vouliez-vous m'aider ? À entendre Betty, on dirait que ça n'est vraiment pas anodin…

– *En effet*, répondit-il sans autre explication. Écoute, fiston, Mary t'a demandé de venir ici pour que tu comprennes ce qu'elle avait vécu. Bien. Mais tu es aussi là pour apprendre quelque chose sur toi-même. Le chemin sera long. Et je serai ton guide : je pense que c'est mon destin. Cela fait bien longtemps que je travaille ici, et je n'ai jamais entendu parler de quelqu'un qui n'aurait *pas* ouvert l'enveloppe à la fin de son expérience... L'affaire n'est pas réglée. Le défi que nous devons relever pour découvrir ce qu'a vécu Mary, c'est de faire en sorte que ce parc fonctionne sur *toi*, et personne d'autre. Alors suis mon conseil : n'essaye pas de comprendre ce qui a pu arriver à Mary, car l'expérience qui t'attend te concernera toi bien davantage qu'elle. Son histoire et la tienne ne peuvent qu'être intimement liées, n'en doute pas. Vu ?

Je hochai la tête sans trop comprendre. Les yeux baissés, je m'efforçai de mettre mes idées au clair, de raisonner... Mais je me sentais démuni. Je ne savais que faire, que penser, que dire... J'étais frustré : tout cela manquait singulièrement de sens. Je voulais juste savoir ce qui était arrivé à Mary, puis quitter ces lieux, quoi qu'il puisse s'y produire...

– On appelle cela être submergé, reprit Henry d'une voix douce, sensible à ce que je ressentais. Tu vas être confronté à des questions épineuses, et à mesure que nous progresserons, tu te sentiras de plus en plus dépassé. Cette expérience, au cours de laquelle tu seras contraint de changer, d'apprendre et d'admettre quelques dures vérités sur toi-même, se révèlera sans doute effrayante. Comme je le disais, tu devras te laisser porter par le courant et accepter d'avancer à petits pas. Il te faudra aussi garder la foi, car tout cela n'arrive pas sans raison. Si tu es là, c'est qu'une cause puissante est en jeu. Alors, allons-y.

Il tira le rideau de la Chambre de Vérité, m'invitant à entrer. Je m'exécutai, prenant place, et inspectai les lieux. J'étais assis face à un écran de télévision surmontant deux fentes de la taille d'une carte de crédit.

Alors que je fixais l'écran noir, Henry lança :

– Mets-toi à l'aise. Ça risque de ne pas être facile. Quand je lâcherai le rideau, pose la main droite sur l'écran, face à toi. Ensuite, tu sauras ce qu'il te reste à faire, ajouta-t-il, retenant le rideau en me souriant gentiment. Ça va aller ?

Égaré, je laissais mon regard errer hors de la cabine.

– Je ne saurais dire… Tout ça paraît dingue. Je voudrais juste savoir ce qui est arrivé à Mary.

– Je sais. Mais réfléchis : est-il possible qu'elle ait voulu t'inviter à partager son expérience en ces lieux ? D'ailleurs, n'est-ce pas précisément ce qu'elle t'a dit ? Tu me l'as répété.

– En effet, ce sont bien ses propos.

– Soit. Tu vas donc vivre une expérience similaire. La tienne sera unique, puisque c'est de ta vie qu'il s'agit. Mais tu vois l'idée… Je vais laisser le rideau se refermer, maintenant, d'accord ?

– D'acc… D'accord.

Il me gratifia d'un sourire d'approbation.

– Allez, sois simplement honnête, mon garçon. Une honnêteté franche et entière… Ça t'aidera.

Il rabattit le rideau, me plongeant dans le noir. Bras tendu, je posai la main droite sur la petite télé, comme Henry me l'avait conseillé. Une sensation de chaleur se diffusa rapidement dans mes doigts. Un rose pâle teinta l'écran. Puis un rose foncé… Qui vira au rouge. Le rouge devint vermeil, pourpre, chaud ! J'ôtai vivement la main. L'écran s'obscurcit à nouveau. Alors, une petite image grise et brouillée apparut. Elle paraissait très lointaine. Ses contours se précisèrent… La vision se rapprocha… On aurait dit une tête… plus près encore… Un visage ? Ça se rapprochait, la mise au point se fit plus nette…

De surprise, je bondis en arrière, me cognant la tête à la paroi.

Devant moi se tenait le visage de ma mère, en noir et blanc. Exactement telle que je l'avais vue pour la dernière fois en vie, quand j'avais dix-sept ans.

Bouche bée, je me penchai en avant et frôlai l'écran du bout des doigts.

L'image s'anima. Puis une voix se fit entendre.

– Bonjour, mon chéri.

Je retirai les doigts, sursautant encore et me cognant à nouveau à la paroi. Mon cœur faillit bondir hors de ma poitrine. *J'entendais* les battements de mon cœur dans la cabine obscure.

Ma mère semblait si réelle ! Clignant des yeux, elle m'observait avec patience.

Je secouai la tête. Elle ne pouvait pas être réelle.

– Maman ?

– N'aie pas peur. Je suis là pour te poser des questions. Nous n'avons pas beaucoup de temps, et je t'aime, alors je n'irai pas par quatre chemins. Es-tu heureux ?

Comme toujours, elle parlait d'une voix douce, apaisante. Elle dardait sur moi un regard plein d'attention et de bienveillance.

Incrédule, je secouai la tête de plus belle.

– Maman ? Ça ne peut pas être toi !

– Si, c'est bien moi. Mais dépêchons-nous…

– Maman, je…

Je me sentais idiot, à parler ainsi à un écran. Mais les mots se bousculaient quand même sur mes lèvres.

– Maman, tu me manques ! Tellement…

Elle prit cet air entendu, empreint de patience que je lui connaissais si bien autrefois.

– Ne pleure pas, mon fils. Toi aussi, tu me manques. Mais je t'en prie, écoute-moi : le temps nous est vraiment compté. Et j'ai des questions à te poser. Alors dis-moi, es-tu heureux ?

À travers mes larmes, je vis l'urgence dans son regard.

– Oui, maman… je… je m'en sors pas mal… Tu sais que tu n'as pas à t'en faire pour moi, jamais.

Souriant, elle me gratifia de son expression du style « tu ne crois pas faire avaler ça à ta mère, tout de même ! ».

– C'est ce que tu me répétais quand tu étais petit. Toi et moi savions très bien à l'époque que ce n'était pas vrai. Tu ne voulais jamais que je m'inquiète. Tu as toujours été un bon petit garçon. Mais j'ai besoin que tu me dises la vérité. Ta vie est-elle telle que tu le désirais ? Est-ce ce dont tu rêvais ?

— Maman, pourquoi me demandes-tu ça ? À quoi tout cela rime-t-il ?

— Je ne peux pas te répondre. Mais il faut que tu me le dises : ta vie est-elle celle dont tu rêvais ?

Détournant le regard, réticent, je marquai une pause. *De toute façon, tout ça n'est pas réel, n'est-ce pas ?*

— Chéri ? demanda-t-elle.

Je levai les yeux, et la douceur de son regard me remua, au tréfonds de mon être.

— Non, maman, ce n'est pas ce dont je rêvais… Ma vie a pris un tour surprenant.

Acquiesçant, elle repoussa de son visage les mèches ondulantes de sa chevelure ébène. Et sourit.

— Tu as toujours été doué pour l'orientation… Quand t'es-tu égaré ?

— Je l'ignore… C'est arrivé plus d'une fois, sans doute.

— Où ?

— En de nombreuses d'occasions… Non que ma vie soit si mauvaise, c'est juste que… Ça pourrait être bien mieux.

— Essayons d'être plus précis. Au boulot ?

— Peut-être.

Elle haussa les sourcils.

— Peut-être ?

— Oui, acquiesçai-je.

Elle plissa les yeux.

– Oui, peut-être ?

– Oui, trois fois oui… Au travail, je ne me sens pas à ma place… Je pourrais faire mieux, accomplir quelque chose qui me ressemble davantage, quelque chose de plus gratifiant.

– Nous y voilà. S'il s'agit là d'une des erreurs d'aiguillage dont tu parlais, alors il serait temps de changer de posture en commençant par l'admettre. La vérité constitue toujours un bon point de départ. Y-a-t-il d'autres domaines qui ne t'apportent pas satisfaction ?

Je ne savais même pas comment avouer, pour Mary… Je refusais même d'y penser. J'avais toujours regretté qu'elle et ma mère n'aient pas eu l'occasion de se connaître.

– Es-tu amoureux ?

Surpris, je la dévisageai. On aurait dit qu'elle lisait dans mes pensées. Rien qu'à l'idée de parler de Mary, j'eus la gorge nouée.

– Oui, maman… d'une femme merveilleuse. Elle s'appelle Mary.

– Et où en sont vos relations ?

À nouveau, les larmes me montèrent aux yeux.

– Eh bien, tu sais… c'est… c'était un peu… mouvementé.

Comment avouer que j'avais poussé Mary à s'éloigner de moi et que j'étais donc probablement responsable de son accident fatal ?

– Est-elle gentille avec toi ?

– Oui, fis-je d'une voix tremblante. Toujours. Elle l'a toujours été. Et patiente, à vouloir sans cesse m'aider à m'améliorer…

– Es-tu gentil avec elle ?

Je me revis en train de lui hurler dessus avant qu'elle ne disparaisse… Un souvenir cuisant.

– Es-tu gentil avec elle ? insista ma mère.

Plié en deux sur mon siège, je luttai pour refouler mes larmes.

– Je m'y suis efforcé ! J'ai essayé d'être un type bien ! Mais… je crois que j'ai échoué.

Quelques instants passèrent. En relevant la tête, je vis que maman pleurait doucement, elle aussi.

– Je suis navrée que ce soit si dur… Je sais que tu fais toujours de ton mieux.

Je n'arrivais plus à la regarder en face.

– Maman, je ne sais même plus quoi faire…

– Bien sûr que si ! Tu l'as toujours su. Sois bon et honnête, comme à ton habitude., dit-elle, puis elle fit une pause en attendant que je la regarde à nouveau. Écoute, tu as toujours été un garçon fort, futé, tu as toujours eu bon cœur. Que ce qui s'est passé avec ton père n'aille surtout pas te convaincre du contraire. À aucun prix tu ne dois te résigner à subir les évènements. Examine ton existence, point par point. Vois ce qu'il te faut écarter, ou au contraire ce que tu dois entreprendre, et fais-le tant qu'il en est encore temps, quelles que soient les obstacles à surmonter. Souviens-toi de ce que ton grand-père disait : « ne cesse jamais d'apprendre et de vivre. »

Une autre minute s'écoula. Ma mère me laissait le temps de reprendre contenance.

– Maintenant, je dois te laisser, chuchota-t-elle.

– Non, maman ! Pas encore… J'ai tant de questions !

– Désolée, mon fils… Je dois vraiment partir. Mais laisse-moi te rappeler une dernière chose : tu peux être l'homme que tu désires, et accomplir tout ce que tu veux. Je te l'ai toujours dit, et je sais que tu m'écoutais jadis. Il est temps d'y croire de nouveau, mon petit. Tu me promets de garder cela dans un coin de ta tête ?

Dès qu'elle prononça ce mot, « *promets* », mes larmes coulèrent de plus belle. Voilà qu'en moins d'une journée, j'avais fait deux promesses, aux deux femmes qui comptaient le plus dans ma vie…

Je cherchai mes mots.

– Je le jure ! Maman, je voudrais tant que tu sois réellement là…, ajoutai-je d'une voix saccadée. Je t'aime tellement…

L'image commençait à s'estomper. Ma mère sourit.

– Et je t'aimerai toujours…

– Maman, non ! Ne t'en va pas !

– …Souviens-toi de ta promesse…

– Maman ! Ne t'en va pas !

L'écran redevint noir.

Sans mot dire, Henry me fit traverser la place. L'air nocturne avait encore fraîchi mais restait agréable. On entendait le doux sifflement des réverbères victoriens. Une fois que nous eûmes atteint un pavillon, à l'autre bout, Henry en tira le rideau et me fit signe d'entrer.

– Et maintenant ? murmurai-je, la gorge encore nouée par l'émotion.

– Maintenant, nous allons voir le sorcier.

Le pavillon des spectacles

Je poussai le rideau, et restai pétrifié. Vu de l'extérieur, le pavillon devait mesurer dix mètres sur dix, à tout casser. Mais ce que je découvris à l'intérieur me fit battre des paupières, incrédule. Je me trouvais à l'entrée d'un immense grotte.

Me tournant vers Henry, j'émis une sorte de hoquet. Il pouffa.

– Toi qui trouvais *Betty* monumentale...

La caverne avait la forme d'une vaste salle de concert. Surplombant une centaine de rangées de sièges semblables à des gradins de stade, je fronçais les yeux pour apercevoir la scène tout au fond. L'espace était chichement éclairé par des centaines d'ampoules nues qui s'alignaient le long des murs. Çà et là, des formations calcaires saillaient du sol ou pendaient de la voûte. L'air empestait le moisi, mais vibrait d'excitation et de clameurs.

– Dépêchons-nous de descendre aux premiers rangs, dit Henry, joignant le geste à la parole.

Comment est-ce possible ?

Pivotant, je repoussai le rideau, laissant entrer l'air frais. Je m'aperçus que l'éclairage de l'esplanade, à l'extérieur, avait été coupé. Il régnait en ces lieux une quiétude onirique. Je fis un pas dehors pour comprendre comment un si petit pavillon pouvait abriter une grotte de cette dimension.

— Crois-moi, lança Henry dans mon dos, le spectacle, c'est par ici.

Avec un sourire enfantin, il m'exhortait à le rejoindre. Lâchant le rideau, je m'engageai dans la descente vers la scène. Les marches paraissaient plus grandes que la normale, et il me semblait être un gamin jouant à escalader les rochers. Chargé de tension, le brouhaha de la grotte s'amplifiait. Je dépassais des rangées entières de spectateurs, dont beaucoup me souriaient. Certains causaient avec animation, d'autres se tenaient assis sans rien dire, intimidés par un décor aussi grandiose.

Arrivé en bas, je me retournai pour mieux apprécier l'étendue réelle des lieux.

— Il y a bien *deux mille* personnes ici, chuchotai-je.

— C'est quelque chose, pas vrai ? lança Henry avec un large sourire, en m'invitant à m'installer sur l'un des deux strapontins libres en bordure d'allée, à cinq rangées environ de la scène.

Dès que je fus assis, les lumières s'éteignirent, et le silence se fit.

Un moment s'écoula, puis, sur la scène, un tabouret apparut dans un délicat halo de lumière bleue. J'entendis des murmures devant moi et je distinguai à mon tour deux silhouettes gravissant les marches, à droite de la scène. Une fillette et un vieil homme en cape blanche à capuche entrèrent dans la lumière. La première aida le second à prendre place sur le tabouret, rabattit sa capuche puis disparut en coulisse.

Je me tortillai sur mon siège pour mieux voir. Le vieil homme avait tout du sorcier typique des bandes dessinées, avec sa chevelure et sa barbe blanches. Nouée à la taille, une cordelette dorée lui retombait sur les pieds. À son visage ridé, à sa posture voûtée et à son incapacité à se hisser sans aide sur le tabouret, on comprenait qu'il était *vraiment* âgé.

Yeux clos, muet, il laissa s'écouler une minute, puis une autre… et encore une autre. Un murmure s'éleva du public. Dans le faisceau bleuté du projecteur, il avait l'aspect étrange d'un être mort et glacé. Une autre minute s'écoula. Je me tournais pour dire quelque chose à Henry quand le sorcier leva un index décharné. Le silence s'abattit à nouveau sur le public. Une minute passa encore.

Le personnage ouvrit alors des yeux d'un bleu saisissant, et se redressa sur son siège. Son visage s'anima, comme gagné par un fluide vital.

– Mes amis, commença-t-il d'une voix traînante, soyez les bienvenus. Il y avait une raison à tout ce que vous avez traversé dans votre vie : vous conduire en ces lieux, à cet endroit précis. Vos combats, votre survie, vos drames et vos triomphes vous ont amenés ici. À cette nuit. À cette heure. À cet instant.

La voix profonde du sorcier se répercutait d'un bout à l'autre de la grotte. Le faible écho et le silence qui avait précédé prêtaient à ses propos une certaine solennité.

— Vous êtes venus là parce que vous avez reçu une invitation. Vous êtes tous les mêmes. À coup sûr, vous vous blottissiez, petit, dans les bras de votre mère. Vous avez tous joué. Admiré des feux d'artifice. Vous avez connu l'angoisse d'un premier rendez-vous. Vous avez subi des attaques. Vous vous êtes défié du conformisme avant de vous y installer confortablement. Vous avez tous trouvé un emploi, recherché l'amour, vous en avez donné puis vous l'avez perdu, cherché encore. Vous êtes devenu plus fort, plus sage, plus cynique. Vous avez dégusté vos grands jours, déploré les mauvais, prié pour des jours meilleurs. Et vous voilà réunis ici. Et *me* voilà prêt à vous guider.

À chaque parole, le sorcier paraissait rajeunir sous nos yeux. La puissance de sa voix faisait oublier sa fragile constitution.

— À présent, mes amis, abordons la question qui vous poursuit depuis votre arrivée en ces lieux magiques, celle qui vous occupait l'esprit tandis que vous faisiez la queue, celle qui vous taraude depuis que vous avec découvert cette caverne et pris place sur ses gradins de pierre fraîche, vous qui vous demandez ce qui va se passer. La question qui obsède l'humanité tout entière :

« *Pourquoi… suis-je… ici… ?* »

Lorsqu'il formula cette question, je sentis soudain se libérer de ma poitrine un souffle que je n'avais jamais eu conscience de retenir. Un long soupir s'éleva de la foule.

Les yeux du sorcier étincelèrent, et un vif sourire passa sur son visage.

– Bien ! Après cette belle entrée en matière, j'espérais ne pas la rater, celle-là !

Le public éclata de rire. Sur scène, le sorcier rayonnait.

– Je hante ce parc depuis des décennies. Personne n'y est jamais entré sans se demander : « *pourquoi donc suis-je venu là ?* » Je le sais. Et après tout ce temps, j'en suis venu à comprendre que la réponse à cette question, comme avec toutes les immenses interrogations, réside dans la question elle-même.

Marquant une pause, il se pencha tellement en avant qu'on eût pu craindre qu'il bascule de son tabouret.

– Écoutez-moi attentivement, moi qui ne suis qu'un frêle et antique sorcier, reprit-il comme s'il s'apprêtait à révéler le plus vieux secret du monde.

Je me surpris à me pencher en avant, moi aussi.

– Mes amis, prononça-t-il d'une voix douce et solennelle, vous deviez *venir pour devenir*.

Il inspira, observant l'effet de ses paroles sur le public.

Je répétai mentalement : « *Vous deviez venir pour devenir…* » Devenir quoi ? Franchement, c'était un peu décevant. Guettant la réaction d'Henry, je vis qu'il ne quittait pas le sorcier des yeux. Tout le long de la rangée, les gens semblaient sous le charme. On aurait pu entendre une mouche voler.

Le sorcier se redressa sur son tabouret.

– J'imagine, mes amis, que ma réponse n'a fait que soulever des tempêtes sous vos crânes. Ça n'est donc peut-être pas une mauvaise question. Ce qui me permet de m'attarder un peu en votre compagnie, avant qu'on me ramène au cachot.

La foule s'esclaffa de nouveau.

– Le problème avec ma déclaration, continua-t-il, c'est que vous ne pouvez vous empêcher de vous demander : « devenir quoi ? »

Je hochai la tête.

– « Devenir *quoi…* ? » Voilà une préoccupation enracinée dans vos raisonnements. Vous avez grandi avec cette question : « *que* devrais-je faire de ma vie ? » Ce qui est, bien sûr, tout à fait secondaire. La question essentielle, la voilà : « *qui* devrais-je *être* dans ma vie ? »

« Si vous êtes là ce soir, c'est que ce que vous êtes devenu ne vous convient pas totalement. Ce n'est pas votre insatisfaction au travail ni ce que vous *faites* qui vous a poussé à entrer dans ce parc. Ce n'est pas l'insatisfaction que vous connaissez avec votre famille, vos amis, vos voisins ou votre voiture. C'est une sourde insatisfaction par rapport à *vous-même*, à la personne que vous êtes devenue. Vous sentez qu'en vous, il y a *beaucoup plus*, et vous venez ici à la recherche du moyen de dévoiler votre propre potentiel au monde entier, et à vous-même… Au tréfonds de votre être, vous *savez* que vous valez bien plus que ce que la société a décrété à votre sujet, ou que ce qu'elle vous a dicté d'être. Et si vous êtes ici, c'est pour entamer la grande quête qui vous permettra de vous révéler aux yeux du monde comme à vos propres yeux.

« Je suis là pour une raison et une seule : vous aider à lever le maléfice qui a empoisonné l'ensemble de votre vie d'adulte. Oui, je dis bien le *maléfice*. Vous êtes victime d'un sortilège. D'une malédiction. On vous a hypnotisés pour vous amener à croire quelque chose de si insidieux que ça a compromis votre aptitude à vivre la vie que vous *méritiez*. Vous voilà prisonnier d'un mensonge qui domine vos pensées et contamine toute votre existence, un mensonge qui vous empêche de donner le meilleur de vous-même, de prendre des risques, d'avoir la confiance et la force nécessaires pour étreindre à pleines mains l'existence que vous avez toujours désirée.

La voix du sorcier avait monté en puissance pour atteindre un nouveau zénith, si bien qu'il faillit tomber de son siège à la fin de sa phrase.

– Mes amis, reprit-il peu après en se calant de nouveau sur son tabouret, pardonnez mon exaltation. Mais ce sortilège est redoutable, vous devez en avoir conscience. Même si vous ne vous rappelez pas que cela se soit jamais produit, on vous a bel et bien envoûtés, vous poussant à croire que *vous n'étiez pas à la hauteur, et que quelque chose ne tournait pas rond chez vous*. Ce sortilège, c'est celui de la Société qui, insensiblement, vous fait vous sentir inadapté, laid, faible, gauche, insignifiant, inutile et impuissant. Depuis trop longtemps. Ce soir, nous allons le *rompre*, ce sortilège !

Marquant une nouvelle pause, il parcourut la salle du regard. Tout le monde était collé à son dossier. Ce discours nous avait renversé, avec la puissance irrésistible d'une lame de fond.

Après une profonde inspiration, le sorcier baissa les yeux, prenant un ton d'excuse.

– Hélas, je n'ai pas le pouvoir de chasser ce maléfice. Je n'ai ni le temps ni le talent pour briser totalement le Sortilège de la Société. C'est que bien malgré vous, vous l'avez laissé prendre le contrôle de votre vie depuis trop longtemps, et le temps dont je disposais est presque écoulé. Mais j'ai une bonne nouvelle, ajouta-t-il d'une voix plus ferme. Dès ce soir, la liberté va vous tendre les bras, grâce au voyage que vous avez entrepris. Puisque vous seul pouvez réellement contrôler votre esprit, c'est à vous qu'il revient de briser le sortilège. Comment vous y prendre ?

Lentement, il s'avança au bord de son tabouret.

– En commençant par admettre l'existence de cette malédiction. Ça, c'est le plus facile. Voyez les enfants. Regardez-les jouer, trotter et vivre. Quel enfant irait penser que quelque chose ne tourne pas rond chez lui ? Aucun. Sont-ils sujets aux émotions négatives comme, le doute, la tristesse, le sentiment d'insécurité ou la dépression ? Non. Vous voyez, vous n'êtes pas *nés* en vous dévalorisant, on vous a appris à le faire. Voulez-vous une autre preuve ? Si, quand je vous dis : « vous n'êtes pas à la hauteur », vous ne ressentez pas le vif besoin d'argumenter et de vous défendre, ou au moins de m'envoyer balader, c'est que vous êtes ensorcelé. Que quelque chose étouffe votre désir inné de vous battre pour devenir la personne qu'il était dit que vous seriez.

« Quand vous aurez compris cela, vous aurez fait le premier pas. Qui sera suivi d'un deuxième, puis d'un troisième. La deuxième étape consiste à rompre le sortilège : remettre en cause voire rejeter en bloc les signaux que la société ou votre propre cerveau vous envoient et qui vous amènent à douter de vos capacités. Lorsque vous parviendrez au troisième stade, vous commencerez à vivre votre vie en en reprenant consciemment le contrôle. Dans l'aventure qui vous attend ici, vous franchirez ces étapes une à une et nous vous y aiderons.

Se levant lentement, la jambe traînante, le sorcier avança au bord de la scène.

– De toute évidence, une longue nuit vous attend. Mais pour l'heure, j'aimerais simplement vous donner un vieux truc de magicien : pour briser un maléfice, il faut un pouvoir qui le surpasse largement. Si vous voulez rompre le Sortilège de la Société, vous devez faire appel en vous à une magie susceptible de le vaincre. Cette magie, que vous avez, j'en suis sûr, égarée depuis des lustres dans les replis de votre âme, s'appelle l'*espoir*. L'idée qu'un nouveau départ *est* possible, que vous *pouvez* demander plus à la vie, que vous *deviendrez* la personne rayonnante que vous étiez destiné à être, doit vous habiter tout entier.

Perché au bord de la scène, il se pencha vers nous.

– Nombre d'entre vous doivent trouver ce beau discours dépourvu de sens, avec ces histoires de sortilèges et ses potions d'espoir… Soit. Ce n'est qu'à la fin de votre périple que vous comprendrez à quel point vous êtes loin de là où vous pourriez être. On appelle ça la sagesse rétrospective…

Deux tapes vives et légères, sur mon épaule gauche, détournèrent mon attention de l'orateur. Devant moi se tenait la fillette qui l'avait accompagné sur scène. Elle nous fit signe de nous lever et de la suivre.

– Dépêchez-vous, dit-elle. Vous n'êtes pas censés vous trouver là…

L'enfant nous guida, Henry et moi, le long d'un sombre corridor taillé à même la strate calcaire du sous-sol, derrière la scène, jusqu'à une porte en bois aux proportions démesurées. D'un geste, elle m'invita à ouvrir. Derrière, une salle humide et obscure, meublée d'un unique banc en bois.

– Asseyez-vous, dit-elle. Je vais chercher le sorcier.

Quelques minutes plus tard, la porte s'ouvrit en claquant, et l'homme entra, à bout de souffle.

– Henry ! lança-t-il, visiblement bouleversé. Où est son invitation, à celui-là ?

Henry me demanda de lui remettre l'enveloppe de Mary, ce que je fis, perplexe.

Le vieil homme la scruta attentivement, décochant à Henry un coup d'œil étonné. Puis il hocha la tête, grave, avant de tourner vers moi des yeux humides.

– Jeune homme, êtes-vous prêt à entendre l'histoire de Mary ?

La grande roue

L e sorcier nous entraîna, Henry et moi, dans un
autre long corridor sombre aux parois de calcaire.
Nous parvînmes au pied d'un escalier qui déboucha
devant deux grands battants en bois – lesquels
n'étaient pas sans rappeler le portail d'un cellier en
pierre. Le sorcier ouvrit, et nous émergeâmes à une
dizaine de mètres peut-être de la Grande Roue, à
droite. L'attraction ne fonctionnait plus, naturellement. Le parc était de nouveau désert.

– Où sont passés tous les autres ? demandai-je.

– Partis vivre leurs propres aventures, répondit le
sorcier en levant les yeux vers la Grande Roue. Ils cher-
chent leurs réponses. Et *vous*, quelles réponses cher-
chez-vous ? demanda-t-il en se tournant vers moi.

Les questions qui s'étaient accumulées dans le
secret de mes pensées s'échappèrent comme des balles
de mitrailleuse :

– Quel est cet endroit ? Qu'est-il arrivé à Mary ?
Pourquoi voulait-elle que je vienne ici ? Pourquoi
a-t-elle mentionné son frère sur son lit de souffrance ?
Comment ma mère… la Chambre de Vérité… Qu'y a-t-
il dans l'enveloppe ?

Levant la main, le sorcier me fit taire.

– De bonnes questions, je le concède… Les réponses viendront en leur temps. Mais dites-moi, fit-il avec un regard curieux, croyez-vous que tout cela soit réel ?

Je repensai à tout ce que j'avais vu et entendu jusque-là. J'avais l'impression de rêver les yeux ouverts… Je secouai la tête.

– Non.

L'air dépité, Henry baissa les yeux vers le sol en soupirant.

– Je vais vous rappeler une chose, fit sèchement le sorcier, à votre arrivée ici, vous avez signé un contrat. Ce contrat, c'est la clé de tout. Vous vous êtes engagé à rester ouvert à toute expérience et toute possibilité, mais votre réaction montre qu'au contraire, vous n'acceptez pas ce qui se passe. Cela me prouve que vous n'êtes pas réceptif et que vous faites bien peu de cas de votre engagement. Tout cela est *bel et bien* en train de vous arriver. Mary a *bel et bien* été blessée. Vous avez *bel et bien* parlé à votre mère. Vous vous tenez *bel et bien* devant un vieux sorcier et un gardien au grand cœur. Et vous êtes *bel et bien* sur le point d'être renvoyé d'ici pour cause de rupture de contrat !

Glacial, il planta son regard dans le mien, attendant ma réponse.

– Je suis… Je suis désolé. C'est que… Tout cela me dépasse. Je ne sais pas…

– Bien, m'interrompit-il. Contentez-vous d'écarter vos doutes, et ne revenez plus sur vos engagements. Ou vous retournerez d'où vous venez. Entendu ?

J'étais surpris par sa rudesse. Où était passé le grand-père si encourageant ?

– C'est compris, répondis-je, déconcerté.

– Je suis ravi que nous ayons clarifié ce point, dit-il, se tournant vers Henry pour lui faire un clin d'œil. Car je parie que vous n'allez vraiment pas croire ce qui va se produire maintenant…

Henry et moi prîmes place à bord de la Grande Roue. Le sorcier abaissa sur nos jambes la barre de sécurité.

– Paré pour un tour de magie ? me lança-t-il, la prunelle aussi étincelante que lors de son harangue, dans la grotte.

– Quand vous voulez, fis-je sans conviction.

Je n'étais plus monté dans une Grande Roue depuis des années. Très exactement, depuis ma rencontre avec Mary.

Le sorcier quitta la plateforme et se campa face au manège. Levant la main, il tendit l'index vers la roue, dont il suivit doucement le contour. On eût dit qu'il traçait des cercles dans le sens inverse des aiguilles d'une montre. Peu à peu, ses gestes s'accélérèrent. Je vis qu'il fermait les yeux, et au même instant, une lueur apparut, dansant au bout de ses doigts.

Soudain, la Grande Roue s'ébranla.

Comme notre nacelle se balançait en arrière, Henry et moi fûmes projetés contre la barre de sécurité.

– Nom de… !

– Accroche-toi ! s'écria Henry avec un rire enfantin. C'est parti !

La nacelle oscillait d'avant en arrière. La Grande Roue tournait, prenant de la vitesse.

– *Yahouu !* cria Henry, ses yeux pétillant comme ceux d'un gamin à la fête.

Nous nous élevions au-dessus du sol, embrassant du regard l'étendue du parc d'attractions. Au clair de lune, il apparaissait bien plus vaste que je ne l'aurais cru. Une promenade en délimitait le périmètre. Tout autour de la place, on apercevait des manèges pour enfants et toutes sortes d'attractions, des stands de confiseries, une vaste étendue de gazon, un bateau pirate, un carrousel, ainsi qu'une sorte de gigantesque grange en métal. De l'autre côté se dressait un énorme chapiteau rouge, bleu et doré, ainsi que des dizaines de tentes plus modestes, des stands vendant des friandises, des bateaux tamponneurs, des montagnes russes et des tas d'autres manèges.

Comme nous atteignions le sommet de la Roue, avant d'amorcer la descente, Henry me lança :

– Jolie vue, non ?

– Ouais… répondis-je, mal à l'aise.

Alors que nous redescendions, je cherchai des yeux le sorcier – toujours occupé à tracer des cercles dans les airs. Croisant mon regard, il accéléra le mouvement. De nouveau, la nacelle bascula en arrière, et j'empoignai frénétiquement la barre de sécurité.

– On n'est pas fan de la Grande Roue, à ce que je vois… commenta Henry avec un grand sourire.

Mes phalanges blanchissaient à force de serrer la barre.

– Non, pas vraiment...

– Et pourquoi pas ? C'est plutôt amusant, non ?

– Pour la plupart des gens, je n'en doute pas. Mais il y a des histoires qui circulent, à propos de ces engins. Plus exactement, à propos de celui-ci...

Nous tournions peut-être une fois et demi plus vite que la normale, mais c'était déjà trop rapide pour moi.

Henry haussa les épaules.

– N'importe quoi ! Ces trucs-là sont très sûrs. Qu'a-t-on bien pu te raconter ?

Je lui jetai un coup d'œil nerveux.

– Oh ! Trois fois rien ! Juste l'histoire de ce petit garçon qui a fait une chute mortelle... Il s'agissait du frère de Mary.

Henry m'observa posément.

– Et qu'en sais-tu, de cette histoire ?

– Eh bien, pas grand-chose au fond... Mary n'en parlait jamais, et je n'ai jamais trop insisté. Ce que je sais, c'est qu'il est tombé, et qu'il en est mort. Voilà pourquoi à présent, je ne suis pas rassuré.

– Un événement pareil, Mary n'a pas pu omettre de te le raconter. Perdre son frère, c'est quelque chose qui vous marque à jamais, c'est certain. Tu as dit que Mary était ta fiancée ? Mais explique-moi, alors, que connais-tu *vraiment* de sa vie ?

Le temps qu'il pose cette question, nous étions parvenus à nouveau au sommet de la Roue et nous nous apprêtions à redescendre. Mais mon chagrin, lui, ne faisait que croître. Mary n'avait jamais aimé évoquer le passé. Chaque fois que je lui avais posé des questions

75

sur son enfance, elle les avait éludées d'un « *laissons donc de côté ces histoires assommantes ! Et puis, le passé, c'est le passé ! Il faut vivre le moment présent.* » C'est ce qu'elle disait toujours, et son visage s'éclairait d'un sourire optimiste.

Alors que nous nous rapprochions du sol, je me tournai vers Henry :

– D'accord, je ne connais pas son passé dans le détail, mais *elle*, je la connaissais. Nous étions comme les deux doigts de la main ! ajoutai-je avec un geste théâtral.

Tandis que nous dépassions la plateforme, le manège s'immobilisa brusquement en grinçant. La nacelle bascula, et je faillis bien être éjecté. Jetant un regard exaspéré à Henry, je constatai qu'il restait assis, calme, comme si de rien n'était. Le sorcier s'était figé, le bras en l'air. Henry me fit signe de regarder ce qui se passait devant nous.

Deux enfants grimpaient dans la nacelle qui nous faisait face.

Un petit garçon, et une petite fille. La petite fille, c'était Mary…

Sur un geste du sorcier, la Grande Roue se remit en mouvement.

Je ne pouvais détacher les yeux de ma femme redevenue enfant. Elle était exactement telle que je l'avais vue sur de vieilles photos : des cheveux bruns tressés, une robe rose, des sandales noires brillantes, des socquettes blanches aux bords soigneusement repliés et un sourire merveilleux.

Tandis que nous nous élevions encore, les enfants babillaient avec animation, et jouaient à se chatouiller. Leur nacelle disparut sous la nôtre, et je les perdis de vue. Je lançai un coup d'œil inquiet à Henry.

– Parfois, déclara-t-il, nous croyons tout savoir alors que nous n'avons peut-être pas *tous les éléments* en main…

Se penchant, il regarda la nacelle, en-dessous.

Todd, le frère de Mary, était en passe de remporter la bataille de chatouilles. En signe de victoire, il leva les bras au ciel.

– *Non !* m'écriai-je. *Je ne veux pas voir ça !*

Se penchant par-dessus son frère, Mary lui montra leurs parents, qui déambulaient au pied du manège.

Horrifié, je gardai les yeux levés vers eux tandis que nous redescendions.

Lorsque leur nacelle dépassa la plateforme d'embarquement, Mary et Todd hélèrent joyeusement les visiteurs, qui patientaient dans la file d'attente.

Mais d'où sortaient tous ces gens ?

Nous reprîmes de la hauteur, et je constatai que le parc était revenu à la vie. Il y avait maintenant des centaines de personnes en contrebas. J'entendais le vacarme des montagnes russes, dans le lointain. À l'un des stands, je vis un forain qui tendait une peluche à un heureux gagnant. Le bruit et l'animation du parc détournèrent mon attention un instant.

C'est alors que j'entendis Todd crier.

Nous avions repris notre descente ; relevant les yeux, je le vis agiter les bras en braillant :

– Ohé, Maman ! Ohé, Papa !

Nous repassâmes devant la plateforme, où l'opérateur se prenait le bec avec un type, devant la file d'attente.

Nos nacelles recommencèrent à monter. Me retournant, je vis que Todd s'était dégagé de la barre de sécurité pour s'agenouiller sur son siège.

Mary cherchait à le retenir.

– Assieds-toi ! cria-t-elle.

– Je veux que maman me voie ! piailla-t-il.

Je voulus lui hurler de s'asseoir, mais aucun son ne sortit de ma gorge. Henry fixait un point, en dessous de nous. Je suivis des yeux son regard. Le type, en tête de la file d'attente, cessa soudain de discuter pour tendre une main vers le ciel. L'opérateur leva à son tour les yeux, pour voir Todd penché bien au-dessus de la barre de sécurité, en train de gesticuler pour attirer l'attention de ses parents. Et le forain s'époumona :

– Assieds-toi !

Mary braillait la même chose.

– Ohé, maman ! s'égosilla Todd.

– *Todd !* hurla quelqu'un.

Je baissai les yeux. C'était le père des enfants, Jim. Linda et lui avaient aussi levé la tête, horrifiés.

Jetant un autre coup d'œil à l'opérateur, je le vis presser d'un coup de poing un gros bouton rouge.

La Grande Roue s'arrêta dans une secousse.

– *Non !*

Les pieds de Todd pendaient juste à quelques mètres au-dessus de moi. Penchée à son tour au-dessus de la barre de sécurité, Mary tentait désespérément d'attraper son frère à bras-le-corps. Elle avait réussi à le saisir par sa chemise quand il perdit son équilibre précaire, basculant par-dessus la barre.

– Todd, je te tiens ! s'écria-t-elle.

– Mary, ne me lâche pas ! pleura-t-il.

Agrippé d'une main au rebord de la nacelle, il luttait pour assurer sa prise de l'autre main.

Et soudain, il lâcha tout. Sa chemise se déchira.

En contrebas, l'attroupement s'égailla en hurlant.

Je regardai sa mère le bercer dans ses bras, inlassablement.

– Non…, gémissait-elle tout bas. Pas mon bébé… pas mon bébé… par pitié… pas mon bébé !

Jim releva les yeux vers sa fille qui, toujours penchée au-dessus de la barre de sécurité, tenait encore le lambeau de chemise.

– Mary, qu'as-tu fait ?

La Grande Roue s'immobilisa de nouveau lorsque la nacelle de la fillette atteignit le sol. Le visage défait, l'opérateur leva la barre pour l'aider à sortir. Elle descendit lentement les marches de la plateforme pour rejoindre ses parents. Les témoins du drame s'écartèrent devant elle. L'enfant regarda l'équipe médicale prendre le corps inerte de Todd des bras de sa mère.

J'enfouis le visage entre mes mains.

– *Arrêtez !*

Henry me toucha doucement l'épaule.

– Pourquoi ? Pourquoi est-ce que vous me montrez ça ?

– Parfois, soupira Henry, nous perdons de vue certains épisodes de la vie d'autrui, certains événements qui les ont marqués à jamais. Ça, ça fait partie de ce à quoi tu n'as jamais songé lorsque tu traitais Mary de « maniaque du contrôle ».

Je le fixai, glacé d'horreur.

Il continua :

– Si elle s'est toujours efforcée de t'amener à te comporter d'une certaine façon et à suivre les règles, ne penses-tu pas qu'elle avait ses raisons ?

La Grande Roue donna un à-coup, et notre nacelle se balança en face de la plateforme. Relevant la barre de sécurité, Henry se redressa.

– Parfois nous oublions ce par quoi les autres sont passés. Parfois nous en arrivons à oublier nos propres épreuves. Il est grand temps de te rafraîchir la mémoire.

Il rabattit la barre de sécurité sur mes jambes, descendit de la plate-forme et rejoignit le sorcier.

Ce dernier tendit le bras. La Grande Roue se remit en marche. Le bras du sorcier tournoya de plus en plus vite, et la lumière qui en rayonnait s'intensifia. Avec la vitesse, la roue émettait de terribles grincements. On accélérait. Je m'agrippais à la barre de sécurité. On accélérait encore. Le vent me fouettait le visage. Toujours plus vite. Ma vision commença à se brouiller. Plus vite, toujours plus vite. L'attraction tout entière vibrait et brinquebalait.

Ça va trop vite ! Arrêtez !

Soudain, j'eus l'impression que la vitesse diminuait. Pourtant, tout continuait à tanguer autour de moi. Les contours des choses restaient incertains, comme si tout à coup, le monde s'était mis à tournoyer autour de moi.

Et de ce magma sombre et distordu, des images commencèrent à se détacher. Des épisodes de la vie de Mary.

Aux funérailles de son frère, se tenant entre ses deux parents. Personne ne lui tient la main.

Au lycée, maintenant, face à une fille qui lui crie : « Avec ton appareil dentaire, t'as une tronche de centrale électrique ! »

Au restaurant, avec son premier fiancé qui lui annonce : « Il y a quelqu'un d'autre dans ma vie ».

À un autre dîner, en train de se quereller avec moi au sujet d'une visite à ses parents, et moi qui lui dis : « Pourquoi y aller ? Franchement, on ne dirait pas qu'ils t'aiment tant que ça. »

La toile de fond prend soudain la couleur de la barbe à papa.

Mary joue avec son frère sur le gazon, devant le perron.

La mère de Mary lui enseigne le piano.

Le père de Mary l'attrape par la main et la fait s'envoler et atterrir tandis qu'ils se dirigent vers le marchand de glaces.

Mary met la dernière touche à sa présentation, quitte la pièce et obtient les félicitations de ses collègues.

La main sur sa bouche, Mary fond en larmes : « *Oh, mon chéri, la réponse est oui !* » tandis que, au comble de la nervosité, je m'agenouille à ses pieds.

Alors, la Grande Roue s'arrêta.

J'étais immobilisé au sommet. Les visions, les apparitions s'étaient évanouies.

Je baissai les yeux vers le sorcier et Henry. Le vieillard se remit à tracer des cercles dans les airs, en sens inverse cette fois. La roue se remit à tourner. De plus en plus vite. Ma vision se brouilla à nouveau. Des images apparurent sur un fond chatoyant. *Des images de ma propre vie.*

J'ai six ans, je suis roulé en boule sur le canapé, et je supplie mon père d'arrêter de me battre avec sa ceinture.

J'ai douze ans, et, debout au pied du lit d'hôpital de mon grand-père, je le regarde rendre son dernier soupir.

J'ai seize ans, et ma mère implore le proviseur de ne pas m'expulser pour avoir frappé un autre élève.

Je suis adulte, à présent, et un responsable méprisant me signifie que je serai licencié d'ici à deux semaines.

Je suis dans la cuisine, et je regarde Mary partir en claquant la porte.

La toile de fond se brouille et prend une couleur de limonade.

J'ai huit ans et, avec maman, je fais du trampoline dans notre petite cour.

J'ai treize ans, Mamie et moi caressons en riant un de ses chevaux.

À la compétition d'athlétisme du lycée, je franchis le premier la ligne d'arrivée.

Jeune homme, j'échange une poignée de mains avec un collègue après avoir quitté le bureau de mon nouveau chef.

Je signe le plan de financement de ma maison.

Je serre Mary dans mes bras, avec un soupir de soulagement parce qu'elle vient d'accepter de se lier à moi pour la vie.

Je me retrouvai sur la terre ferme, debout au pied de la Grande Roue.

Henry me souriait.

– Alors, qu'en dis-tu ? demanda-t-il de sa voix chaleureuse et apaisante.

Je secouai la tête, ne sachant que dire.

Je restai quelques instants à observer la foule ; les parents cavalant après leur progéniture, les clowns vendant des ballons, tout le monde se promenant la mine réjouie comme si c'était un samedi soir ordinaire au parc d'attractions...

– Pourquoi me montrer tout ça, Henry ? demandai-je, désignant l'attraction.

– Qu'as-tu vu ?

– Des scènes de la vie de Mary. Des scènes de ma propre vie.

– Ah, ça..., s'exclama-t-il comme s'il avait oublié un plan minutieux. Des images de vos vies, à tous les deux. Ce que tu as découvert concernant Mary, ne l'oublie pas, ça te sera précieux plus tard. Quant à ce que tu as revu de ta propre existence, c'était un simple aide-mémoire. Trop souvent, nous oublions l'essentiel, les étapes les plus significatives de notre parcours. Ce qui t'a été montré, c'était quelque chose de ce genre. Des moments importants, déterminants. Non seulement les hauts et les bas, mais aussi des moments qui t'ont façonné, qui ont déterminé les *thématiques* autour desquelles ta vie s'est élaborée.

– Des thématiques ?

– Oui, elles ressortent de ce qui t'a été inculqué, de ta manière de conduire ta vie. Nous allons devoir en parler, de tes thématiques, parce que, en toute honnêteté, celles qui structurent *ton* existence expliquent en grande partie pourquoi Mary s'est retrouvée ici… puis à l'hôpital !

La thématique du parc

Nous étions assis, Henry et moi, sur un banc, à une vingtaine de mètres de la Grande Roue, légèrement à l'écart des néons chatoyants de l'attraction. Bien carré sur le siège, les jambes croisées et les coudes sur le dossier, Henry regardait passer les badauds. Durant plusieurs minutes, il ne pipa mot.

Soudain, je perdis contenance :

– Vous venez de dire que les thématiques de ma vie expliquaient en grande partie la raison de la venue de Mary ici. Alors parlons-en, voulez-vous : quels sont ces thématiques que vous évoquiez ?

Avec un air patient, Henry revint à moi.

– Je sais que tu as besoin de réponses, que tu en as besoin tout de suite. Je regrette, mais ce n'est pas ainsi que les choses fonctionnent ici. Tu devras obtenir ces réponses par toi-même. Pour savoir quelle thématique, dans ton histoire, a pu pousser Mary à venir, tu devras d'abord les découvrir toutes.

– Et comment s'y prend-on pour faire ça ?

– Commence par les scènes qui te sont apparues sur la Grande Roue. Comme je disais, ce n'est pas un hasard si tu as vu précisément ces images-là. Ce n'était pas simplement pour te rappeler les bons et les mauvais moments, c'était pour t'aider à dégager les axes dominants de ton parcours. Les éléments récurrents dans ce que tu as pu apprendre et dans ta façon de vivre... Commençons par les toutes premières scènes qui te sont apparues. Ensuite, je t'aiderai à en comprendre les thématiques sous-jacentes. Quelle est la première chose que tu aies vue ? demanda-t-il en désignant la Grande Roue de la tête.

Je contemplai l'attraction. Dans la file d'attente, des gamins et des adultes ravis attendaient leur tour. Leur patience contrastait avec la scène que j'avais entr'aperçue.

– Ce que j'ai vu en premier, c'était mon père. Il était... en colère.

– Et pourquoi cela ?

– J'avais fait quelque chose de mal.

– Quoi donc ?

– Je venais de bousiller la télécommande, expliquai-je, et la futilité de l'incident me donna presque envie de rire. Nous avions un aquarium et je m'étais dit qu'elle ferait un bon sous-marin.

Cela fit rire Henry.

– Et alors ? Est-ce qu'elle flottait ?

– Oh que non ! Elle a fait ce que les sous-marins font souvent : couler à pic... Trop petit pour la repêcher, je suis allé prendre un cintre dans l'armoire. Mais j'ai été distrait, et j'ai voulu pêcher un poisson à la place. Papa est arrivé et m'a surpris avec le poisson dans les mains, juché sur un tabouret devant l'aquarium rempli de poissons excités, d'un cintre et de sa télécommande.

Henry s'esclaffa de nouveau.

– Et qu'a-t-il dit ?

– Pas grand-chose. Il a simplement braillé que j'étais une vermine, et m'a foncé dessus. Dans mon affolement, j'ai lâché le poisson. Quand il est arrivé sur moi, j'ai voulu m'enfuir, pris de panique, et j'ai sauté du tabouret... droit sur le poisson ! Je me souviens d'avoir levé les yeux vers mon père, horrifié.

– Tu as atterri sur le poisson ! Comment a réagi ton père ?

Je revis un instant sa face ivre de colère.

– Il m'a traité de « sale petite merde » en me hurlant : « regarde ce que tu as fait ! » Puis il a tiré sa ceinture. J'ai essayé de lui échapper, mais il m'a cloué au canapé et... bref, voilà ce que j'ai revu en premier, sur la Grande Roue.

Je contemplais la foule. Henry laissa s'écouler quelques instants. Sur la Grande Roue, les gamins arboraient un air extatique.

– Je sais que parler de tout cela n'est pas facile, reprit-il finalement. J'ai aussi quelque expérience sur la question, alors j'apprécie ton honnêteté. Je sais également que ça s'est produit il y a fort longtemps, mais attardons nous encore un instant sur cet épisode, essaie de redevenir le gamin que tu étais à cette époque : qu'as-tu commencé à penser de toi-même ce jour-là ?

– Ce que je *pensais* de moi-même ? répétai-je, songeur. Je l'ignore. J'ai dû me dire que j'étais un imbécile, un sale gosse.

– Un imbécile ? Un sale gosse ? Alors, après cet incident, as-tu changé de comportement ?

– Carrément. J'ai cessé d'être un garnement. Je me suis tenu tranquille, évitant de me retrouver dans les jambes de mon père. C'est tout ce qu'on peut faire, avec un père dur comme ça.

– Et rester à l'écart, ça a marché ? Tu n'as plus reçu de raclées ?

– On peut dire ça… Tant que j'arrivais à l'éviter, il n'y avait pas de problèmes.

– Ton père te faisait-il peur ?

J'éclatai de rire.

– Qui *n'a pas* peur de son père ? Je ne pense pas être le seul dans ce cas. Vous savez, nous ne vivons pas dans un décor de carton-pâte surplombé d'arcs-en-ciel… Écoutez, faut-il vraiment en passer par une psychanalyse ? Je sais que mon père se comportait mal, et ça fait bien longtemps que j'ai dépassé tout ça. Est-il vraiment nécessaire d'en reparler ?

– Non, assura Henry d'une voix douce, pas pour le moment. Mais comprends bien que tu as revu cette scène parce que, d'une façon ou d'une autre, elle est devenue une thématique majeure de ton existence. Bon, continuons. Et ensuite ?

Je lui parlai de la mort de mon grand-père. Le malheureux avait souffert des semaines durant sur son lit d'hôpital, luttant contre un cancer du foie. Ma famille lui rendait souvent visite, surtout vers la fin. Mon père s'efforçait de détendre l'ambiance, mais dès la porte passée, il maudissait Grand-père pour toutes ses années d'ivrognerie. La veille de son décès, ils se sont disputés. Furieux, Papa n'est pas reparu le lendemain. Du coup, quand l'agonie de Grand-père a commencé, je me trouvais seul avec lui dans la chambre. Maman était sortie téléphoner à mon père pour le supplier de revenir. Voici les derniers mots de Grand-père : « *Dis à ton père que je lui pardonne, et que je l'ai toujours aimé.* » En pleurs, je l'ai vu rendre son dernier soupir. Une infirmière est entrée, alertée par l'appareillage médical. Elle m'a vu pleurer mais n'a rien dit. Elle s'est contentée de débrancher les machines, de tirer le drap sur son visage, puis m'a ordonné de quitter la chambre. Plus tard cette nuit-là, j'ai rapporté à mon père les dernières paroles de Grand-père. Il m'a regardé, puis il a éclaté en sanglots. Avant de m'en balancer une et de me jeter par terre en me traitant de « petit menteur de merde ». Il a prétendu que j'avais tout inventé pour qu'il se sente mieux.

— Et quel âge avais-tu ?

— Douze ans.

— De quoi te rappelles-tu le mieux ?

— De mon immense tristesse à la mort de Grand-père. De l'indifférence glaciale de l'infirmière. De mon père qui ne voulait pas me croire.

— Pourquoi ce refus ? Comment te l'expliquais-tu à l'époque ?

— J'ai dû penser que j'étais vraiment un sale gosse, même pas capable de transmettre un message, de rapporter correctement les derniers mots de Grand-père.

– Et ensuite ? Tes relations avec ton père ont-elles changé ?

– Oui. Nous nous sommes éloignés l'un de l'autre. Il n'a jamais plus évoqué cette histoire. Moi, pas davantage. D'ailleurs, depuis ce temps-là, nous ne nous sommes pratiquement plus parlé.

Je gardais le silence quelques instants pour faire comprendre à Henry que j'étais prêt à passer à la suite.

– Bien, dit-il, semblant saisir où je voulais en venir. Qu'as-tu vu d'autre ?

– La scène suivante s'est produite pendant ma première année de lycée. J'étais un des gars les plus petits de l'équipe de basket-ball. Mais pas le plus petit. Un gamin du nom de Jimmy Smeltz mesurait quelques centimètres de moins que moi. On l'appelait « le Nabot ». Tous les deux, nous subissions de nombreuses brimades de la part des joueurs plus âgés. Nous n'étions que des bleus, du coup ils passaient leur temps à nous humilier. Un jour, en me pointant au vestiaire, j'ai trouvé le Nabot ligoté tout nu à un des montants métalliques de la douche commune. On lui avait fourré une chaussette dans la bouche et on l'avait bâillonné avec du scotch. Ses joues ruisselaient de larmes. J'ai sorti mon canif pour le libérer. Alors que je me baissais pour trancher les liens qui entravaient ses chevilles, Clark Jones, le meneur de l'équipe et l'élève le plus populaire du lycée, nous a pris en photo dans une position compromettante. Il a ensuite clamé qu'il allait placarder le cliché dans tout l'établissement. J'ai tenté de lui confisquer l'appareil photo, et comme il refusait de me le remettre, je lui ai cassé le nez… Une heure plus tard, ma mère suppliait le directeur de ne pas m'expulser. J'ai eu droit à six semaines d'exclusion, et j'ai été renvoyé de l'équipe. Clark Jones, lui, n'a subi aucun blâme. Il a même remporté un championnat. Ma mère a pris mon parti, et m'a conseillé de ne jamais me fier à un représentant de l'autorité. Papa est resté à l'écart de tout cela, mais s'est mis à me traiter de fauteur de troubles.

– Après cela, le monde a dû te paraître sacrément injuste.

– Ça, je pense que je l'avais déjà compris.

– Alors qu'est-ce qui ressort le plus de tout cela, à tes yeux ?

– La méchanceté gratuite des gens… Ligoter le pauvre Jimmy comme ça… Vous imaginez ce que ça a dû être pour lui ? Bon sang ! Et le directeur, qui me punit, moi, sans toucher à Clark ! Quelle injustice… Ça montre bien que lorsqu'on se mouille – pour soi ou pour les autres, ça nous retombe toujours dessus au bout du compte.

– Et tu as suivi le conseil de ta mère ?

– Lequel ?

– Lorsqu'elle t'a encouragé à ne pas te fier aux représentants de l'autorité ?

– D'une certaine façon. Je n'ai certes pas accordé ma confiance à la légère. Les gens devaient la mériter.

– Et ont-ils été beaucoup, à la mériter ?

– Non.

– Pourquoi ?

La scène suivante me revint à l'esprit.

– Parce qu'on ne peut jamais réellement se fier à quiconque. Attendez un peu d'entendre l'histoire suivante.

La troisième scène que j'avais vue au sommet de la Grande Roue s'était déroulée dans un bureau blanc et froid. Assis en face de moi, un consultant me "remerciait" dans tous les sens du terme, pour mes huit années de bons et loyaux services. Huit ans de travail acharné ! Par malheur, expliquait-il, mon salaire grevait trop le budget de l'entreprise et en haut lieu, on s'était résolu à contrecœur à se séparer de moi. Mon successeur leur coûterait moins cher, m'avait-il expliqué. Je demandai alors qui prendrait ma place, songeant que Benny, un de mes collaborateurs depuis cinq ans, et de surcroît jeune papa, constituait le candidat idéal. Il était apte à prendre du galon, et il le méritait bien. Au lieu de cela, le consultant m'informa froidement que mon poste, externalisé, revenait à un jeune de vingt-et-un ans, en Inde.

« Mais n'ayez crainte, avait-il ajouté. Nous offrons à ceux qui ont tant donné à l'entreprise de coquettes indemnités de départ... »

Je n'ai finalement eu droit qu'à six semaines de paye. Et deux jours plus tard, Benny était viré à son tour.

– Édifiant, n'est-ce pas, en matière de confiance et de justice ? lançai-je à Henry en conclusion. J'ai donné à cette boîte huit ans de ma vie. En retour, j'ai eu droit à six semaines d'indemnités et à une belle gifle ! Ça montre bien qu'on ne peut se fier à personne.

– Être licencié, cela te paraît injuste ?

– Un peu ! J'étais écoeuré. Non seulement on se passe volontiers de vos services, mais on n'estime même pas nécessaire de vous indemniser correctement. Et on vous remplace par un môme ! Ça, c'est le comble.

– On dirait que tu n'as toujours pas digéré cette affaire.

– En effet ! fis-je avec humeur.

Plus j'y repensais, plus je bouillais d'indignation.

– Soit. Passons à la suite. Qu'as-tu aperçu d'autre ?

Au souvenir de la scène suivante, ma colère retomba instantanément. Une bouffée de tristesse me submergea.

– J'ai revu Mary en train de claquer la porte, expliquai-je, la gorge nouée Je n'arrivais pas à croire qu'elle soit partie comme ça. J'étais resté sans réaction. Sans rien dire, sans rien *faire*. Je savais bien qu'elle n'était pas trop heureuse, mais j'ignorais que c'était à ce point. Elle avait le sentiment que nous n'allions nulle part. Elle avait toujours cru qu'elle épouserait quelqu'un qui l'aiderait à se sentir mieux. Et quelques mois après nos fiançailles, elle a dû réaliser que je n'étais pas la bonne personne. Je n'étais pas à la hauteur de ses attentes. Depuis un certain temps, elle s'était mise en tête de me changer. Devant mon refus de jouer le jeu, elle s'est sentie de plus en plus mal – jusqu'au jour où elle a claqué la porte, et disparu.

– Tu penses vraiment que tu n'étais pas à la hauteur ?

– Oui, sans l'ombre d'un doute. Mary a toujours été un ange avec moi. Disons juste que… moi, je n'étais pas un ange en retour.

– Qu'as-tu pensé en ne la voyant pas revenir, en constatant sa disparition ?

– J'ai tout de suite compris que quelque chose n'allait pas. J'ai toujours été un porte-poisse. Toutes ces choses horribles qui pouvaient lui arriver… tout ça parce que je l'avais repoussée… Et un drame affreux s'est effectivement produit. Elle…

Je m'arrêtai, les yeux rivés à ceux d'Henry, me souvenant soudain de la raison de cette conversation.

– Vous disiez que tout cela avait un rapport avec les thématiques de ma vie. Alors, qu'avez-vous pu déceler ?

– Tu veux le savoir ?

– Oui.

– Bien. Revenons sur ce que tu m'as dit, et voyons ce que nous pouvons en déduire. Dans les scènes que tu viens de me décrire, je pense qu'affleurent déjà des thématiques dominantes. Laisse-moi te donner mon point de vue. D'abord, une thématique majeure pourrait déjà se profiler dans la façon dont on t'a fait *découvrir le monde*. On t'en a donné une image bien sombre. « Nous ne vivons pas dans un décor de carton-pâte surplombé d'arcs-en-ciel », as-tu dit à propos de ton père. Les mauvais traitements qu'il t'a infligés t'ont appris que le monde était dangereux, l'agonie de ton grand-père, qu'il était plein de tristesse, et la réaction du proviseur de votre lycée, qu'il était aussi profondément injuste : « dès qu'on se mouille pour soi-même ou pour un autre, ça vous retombe dessus. » Ton licenciement t'a appris que la vie était faite d'ingratitude et d'instabilité. Enfin, lorsque Mary s'est volatilisée, tu t'es dit que le monde entier t'en voulait. Après tout, tu n'es qu'un « porte-poisse. » Je suis sur la bonne voie ?

Je hochai la tête.

– Je continue. Il y a une autre thématique, selon moi, qui concerne ce que tu as appris *sur les autres*. Ta relation avec ton père t'a convaincu que tes semblables étaient durs et blessants. Qu'un père ne ressemblait pas nécessairement à ceux qu'on voyait à la télé. L'infirmière de ton grand-père t'a appris que les gens pouvaient se montrer froids et indifférents. Tes partenaires, dans l'équipe de basket-ball, t'ont appris qu'ils pouvaient être cruels. Votre proviseur vous a appris qu'ils pouvaient être injustes. Le consultant qui t'a licencié t'a prouvé que les gens se moquaient bien des problèmes des autres, que ça ne les touchait pas. Et Mary t'a appris que ceux qui vous aiment peuvent toujours vous quitter si vous n'êtes pas à la hauteur. Est-ce que tout cela te parle ?

Autre hochement de tête.

– Je pense enfin déceler une thématique dans ce que tu as appris *sur toi-même*. À cause de ton père, tu en es venu à croire que tu étais nuisible et stupide. Après avoir transmis le message de ton grand-père et avoir encaissé une taloche pour la peine, tu t'es dit que tu étais incapable de communiquer. Pour avoir voulu te défendre, tu t'es retrouvé dans la peau d'un enfant à problèmes. Perdre ton emploi t'a prouvé que tu ne valais rien, et ta relation avec Mary, que tu n'étais pas à la hauteur. Que tu portais la poisse à tout le monde… C'est un peu ça, non ?

Abasourdi, je le dévisageai.

– Oui…

– Alors les thématiques que tu as développées dans ton histoire sont à peu près celles-ci : le monde est plein de ténèbres et de dangers, les gens sont injustes et blessants, et toi, tu es inadapté. Maintenant, je te pose cette question : ces thématiques n'ont-elles pas pu affecter ta façon de mener ta vie ?

– Naturellement.

– Penses-tu avoir adopté une attitude positive ou négative ?

– Négative.

– Penses-tu que ton vécu t'ait conduit à te montrer ouvert avec autrui, ou plutôt renfermé ?

– Renfermé.

– Estimes-tu avoir droit au bonheur et à l'amour, ou au malheur et au chagrin ?

Je revis mon père me jetant au sol après la mort de grand-père.

– Au chagrin, semble-t-il.

– Mouais…, murmura Henry. Donc, ton entourage et ton expérience t'ont appris à être négatif, fermé et à douter de ta propre valeur. Voilà la prescription idéale pour réussir sa vie, non ?

– Certes, fis-je, en sentant que je me renfermais.

La prescription idéale, y compris pour chasser Mary de mon existence.

Henry se leva.

– Eh bien, avec ton petit programme, laisse-moi te dire, tu as tout gobé ! Les thématiques de ton existence sont devenues des croyances, et tu as laissé celles-ci te dicter ton comportement. Tu as gobé ce que le monde t'avait appris sans te poser la moindre question. Tu étais peut-être trop jeune à l'époque pour remettre ces leçons en perspective, mais une fois adulte, tu aurais au moins dû y réfléchir, reconsidérer tout ça d'un autre point de vue. Tu ne l'as pas fait. Et pour ça, tu as payé le prix fort.

La surprise dut se lire sur mon visage.

– Fiston, je vais être honnête avec toi. Tu veux savoir pourquoi tu as perdu Mary ?

Je le fixai d'un regard sans expression, ayant une petite idée de la réponse. Pourquoi aurait-elle voulu rester avec un ballot de pessimiste introverti comme moi ?

Henry hocha la tête comme s'il lisait dans mes pensées, puis émit un signe de dénégation.

– Si elle est partie, c'est parce qu'elle se sentait encore plus mal que toi.

Il marqua une pause, le temps que je me fasse à cette idée.

Encore plus mal que moi ?

– Viens par ici, il y a quelque chose que tu dois voir par toi-même. Je ne peux pas te l'expliquer, c'est trop violent.

Les forains hurleurs

Tandis que Henry et moi dépassions la Grande Roue, des images de la chute de Todd revinrent me torturer. Nous longeâmes ensuite des stands de nourriture, des montagnes russes et un manège figurant un service à thé. Nous avancions comme des escargots, tant il y avait de monde. Le vacarme des manèges, les piaillements des gosses et les braillements des forains étaient assourdissants. Pendant un moment, la foule nous porta, puis Henry me saisit le bras et m'entraîna au bord de l'allée.

– Regarde, dit-il en désignant quelque chose du pouce, derrière nous.

Un long chemin de gravier rouge partait de là, bordé d'une demi-douzaine de stands de jeux, au fronton desquels pendaient des animaux en peluche et toutes sortes de prix qu'on pouvait y remporter. Tous ces stands étaient tenus par des forains. C'était étrange : l'allée que nous quittions débordait de monde, mais ce passage-là était tout simplement désert.

J'interrogeai Henry du regard.

– Écoute, dit-il.

Soudain, une vague de clameurs m'assaillit.

– *Par ici, messieurs dames ! Venez vous mesurer au plus grand jeu d'adresse jamais inventé ! Nous n'avons que des gagnants ! Descendez sept canards, empochez sept dollars ! Accrochez cinq anneaux au goulot d'une bouteille et gagnez un lapin pour votre bambin !*

Les vociférations des forains étaient tonitruantes. La foule ne faisait pourtant que passer, sans que personne ne s'attarde. Nul ne leur accordait le moindre regard ; les passants semblaient hermétiques au vacarme..

– Va t'en voir de plus près, suggéra Henry.

Parcourant du regard une rangée de tentes, je sentis un frisson glacé me parcourir l'échine. Je connaissais tous ces forains…

À l'un des stands se tenait le frère de Mary. Dans le suivant, il y avait sa mère. Un autre était tenu par son père. Je reconnus également la jeune fille que j'avais vu tantôt, sur la Grande Roue, se moquer de Mary et de son appareil dentaire. Sous une autre tente, l'ex petit ami de Marie vantait son jeu de balles en mousse à grand bruit. Et au bout de la rangée, se trouvait… – je fus saisi de stupeur – c'était moi !

Les yeux écarquillés, je me tournai vers Henry, et j'allai dire quelque chose quand quelqu'un me frôla.

C'était Mary.

Elle portait exactement la même tenue que le jour où elle avait quitté l'appartement, avant de disparaître : une jupe noire et une adorable blouse bleue.

– Mary ! m'écriai-je comme un fou. Mary !

Je voulus m'élancer à sa suite, mais Henry me retint par l'épaule.

– Ce n'est qu'une vision, fiston. Elle n'est pas réellement là.

Ça ne m'arrêta pas. Me dégageant, je courus vers elle.

– Mary ! criais-je. Mary !

Je voulus saisir son épaule : mes doigts passèrent à travers elle.

Sous le choc, je reculai et la regardai. Elle était si belle.

Je tendis de nouveau le bras ; de nouveau, je ne saisis que de l'air. J'agitai la main devant elle : elle ne me vit pas. toute son attention était fixée sur les stands, derrière moi.

– Ce n'est qu'une vision ! me lança Henry. Observe ! Et ouvre grand tes oreilles !

Je vis les yeux de Mary se remplir de larmes. En me retournant pour comprendre ce qui retenait ainsi son attention, j'aperçus son frère qui hurlait à gorge déployée :

– MARY, NE ME LÂCHE PAS ! MARY, NE ME LÂCHE PAS ! MARY, NE ME LÂCHE PAS !

Sa mère se lamentait :

– NON, NON ! PAS MON BÉBÉ… PAR PITIÉ, PAS MON BÉBÉ !

Son père criait :

– MARY, QU'AS-TU FAIT ?

La collégienne l'injuriait :

– AVEC TON APPAREIL DENTAIRE, T'AS L'AIR

D'UNE CENTRALE ÉLECTRIQUE ! CE QUE T'ES MOCHE AVEC TON APPAREIL DENTAIRE !

Son ex-fiancé braillait :

– TU ES ASSOMMANTE… MARY, IL Y A QUEL-QU'UN D'AUTRE DANS MA VIE !

Quant au forain qui me ressemblait comme un jumeau, il hurlait :

– POURQUOI Y ALLER ? FRANCHEMENT, ON NE DIRAIT PAS QU'ILS T'AIMENT TANT QUE ÇA !

D'un coup, Mary s'effondra à mes pieds, les mains sur les oreilles.

– Arrêtez ! supplia-t-elle. Arrêtez !

Mais sa supplique resta vaine.

– MARY, NE ME LÂCHE PAS !

– NON, NON ! PAS MON BÉBÉ… PAR PITIÉ, PAS MON BÉBÉ !

– MARY, QU'AS-TU FAIT ?

– AVEC TON APPAREIL DENTAIRE, T'AS L'AIR D'UNE CENTRALE ÉLECTRIQUE ! CE QUE T'ES MOCHE AVEC TON APPAREIL DENTAIRE !

– TU ES TELLEMENT ASSOMMANTE… MARY, IL Y A QUELQU'UN D'AUTRE DANS MA VIE !

– POURQUOI Y ALLER ? FRANCHEMENT, ON NE DIRAIT PAS QU'ILS T'AIMENT TANT QUE ÇA !

– *Arrêtez !* gémit à nouveau Mary. *Je vous en prie, arrê-tez ! Ça suffit… ça suffit !*

Le silence retomba sur l'allée. Les stands s'étaient vidés de leurs occupants. Mon regard revint se poser sur Mary. Prostrée dans la poussière, elle se balançait d'avant en arrière en pleurant à chaudes larmes.

– Oh, Mary, fis-je en m'agenouillant à son côté. Je suis tellement navré, ma chérie, tellement navré…

Je voulus lui caresser le visage, mais ma main la traversa de nouveau, et ne rencontra que le gravier. Je m'effondrai près d'elle.

Essuyant ses larmes, Mary se releva, visiblement surprise de constater que les stands étaient maintenant déserts.

J'ouvrais la bouche pour dire quelque chose lorsque des chuchotements, derrière nous, m'interrompirent.

Mary et moi nous retournâmes de concert.

Les stands s'étaient repeuplés de forains. Ou plutôt de foraines : des copies conformes de Mary qui, au lieu de vociférer, murmuraient.

Mary avança, et je la suivis. Alors que nous approchions d'un stand, les chuchotements s'amplifièrent.

– Mary, susurra la foraine d'une voix douce, *c'était* ta faute. Tu aurais dû mieux tenir Todd.

– Tu n'aurais pas dû le laisser s'agenouiller dans cette nacelle, reprit une autre. C'était stupide. Tu as tué ton frère, Mary. Tu l'as *tué* !

Une troisième lui jeta un regard de commisération.

– Tu n'y peux rien, Mary. Tu n'es qu'un laideron, voilà tout. Autant que tu t'y fasses. Tu es laide.

Une quatrième fronça les sourcils.

– Tu es assommante, chérie. Tu n'as jamais eu de personnalité. Jamais personne ne tombera amoureux de toi.

– Eh oui… prépare-toi à une vie de solitude, murmura une autre.

– Ils ont raison ! siffla la suivante. Tu es laide, assommante, tu as tué ton propre frère et à cause de tout ça, personne ne t'aimera, jamais !

La lèvre inférieure tremblante, Mary secoua la tête violemment comme pour les faire disparaître toutes. Puis, se bouchant les oreilles, elle prit la fuite.

Je me lançai à ses trousses, mais elle disparut aussitôt, happée par la foule de l'allée principale. Henry me rattrapa par l'épaule.

– Ce n'était qu'une image, fiston. Désolé, elle est partie.

Assis en tailleur sur un carré de gazon, près d'un stand de limonade, j'attendais Henry. Les cris des forains résonnaient encore dans mon crâne. La vision de Mary effondrée dans la poussière me taraudait.

– Et voilà, fit Henry de retour, en me tendant une limonade bien fraîche.

Il s'assit près de moi, et nous contemplâmes le flot des visiteurs.

Les minutes s'écoulaient.

Le brouhaha de la foule s'estompait, mais les vociférations des forains, hostiles, accusatrices, calomnieuses, continuaient de hanter mon esprit.

Finalement, Henry se lança :

– Sais-tu que ces voix ne la quittaient jamais ?

– Vraiment ?

– Oui, elle les entendait chaque jour, pour ainsi dire. La formulation des reproches variait parfois, mais le message était clair. Les voix résonnaient constamment dans son crâne, alimentant sa culpabilité, son sentiment d'impuissance, et sa crainte de finir ses jours seule.

Je secouai la tête.

– Je n'avais pas idée… Ces voix sont-elles toujours aussi fortes ?

– Pas toujours, non. Comme tu l'as vu, ce sont parfois des cris, parfois des murmures. Mais pour Mary, ça ne s'arrêtait jamais, comme une cassette qui tourne en boucle.

– Et ne peut-elle… y mettre un frein ?

Henry me lança un sourire à la fois doux et intransigeant.

– Pas plus que tu ne le peux.

– Que voulez-vous dire ?

– Toi aussi, tu entends des voix, qui te noient de sarcasmes ou te murmurent « Tu n'es pas à la hauteur »… As-*tu* réussi à les faire taire ?

– Je ne vois pas de quoi vous voulez parlez.

– Ah, vraiment ? Faut-il rebrousser chemin pour que tu les entendes à nouveau ?

– Non ! m'écriai-je en secouant la tête. Non…

– Bien, reprit Henry, encourageant. Penses-y. Ne t'arrive-t-il pas d'entendre une voix négative, au fond de toi ?

– Si.

– Ferme les yeux. Que dit-elle ?

Je m'exécutai, et réfléchis. Dans ma tête, j'entendis une petite voix, douce mais persistante, égrener l'éternelle litanie : « *Sois prudent, le monde est dangereux… ne te fie à personne… reste à l'écart des autres… tu es un imbé-*

cile, une vermine... tu n'es pas à la hauteur... quel pauvre type tu fais ! »

Une marée d'invectives me submergea.

Henry hocha la tête.

– Eh oui, tu les entends toi aussi. Et elles t'importunent toujours au mauvais moment,, quand tu décides de te lancer dans de nouveaux projets, ou bien quand tu tombes amoureux.

– Comment les faire taire ?

– À toi de me le dire. Si tu avais pu entrer en contact avec Mary, après les vociférations des forains, que lui aurais-tu dit ?

– De ne surtout pas y prêter attention. De leur rabattre le caquet ou bien de faire la sourde oreille ! Je lui aurais expliqué que son père et sa mère, sous le choc, avaient eu une réaction bien compréhensible sur le moment, mais qu'en réalité, ils ne lui reprochaient rien du tout. Je lui aurais expliqué que ce n'était pas sa faute. Et qu'à l'école, les élèves sont parfois cruels entre eux, qu'il ne faut pas s'attarder là-dessus. Je lui aurais dit aussi que son ex-fiancé était un abruti, et qu'elle devrait l'oublier. Je lui aurais dit que...

Henry me regardait, patient.

– ... je n'avais pas voulu me comporter, moi aussi, comme un pauvre abruti.

– Tu estimes que c'est comme ça que tu as agi avec Mary ?

Je baissai la tête.

– Pas mieux que son ex.

Henry se pencha vers moi.

– Et pourquoi t'es-tu comporté ainsi avec elle, à ton avis ?

– Je ne sais pas. Je ne connaissais pas son passé. J'ignorais que mes paroles pouvaient la blesser à ce point. Je ne sais pas à quoi je pensais, je ne sais pas ce que je fabriquais. Je ne faisais pas attention, tout simplement.

– Ah, soupira Henry. Alors, je sais exactement qui il nous faut rencontrer maintenant.

L'hypnotiseur

Henry et moi déambulions au milieu des attractions foraines. Des odeurs de hamburgers, de bretzels, de pizzas et de barbe à papa s'échappaient des stands de nourriture qui se succédaient, à droite comme à gauche. Mais tout ce que j'avais dit à Mary m'avait rendu trop malade pour que je songe à avoir faim.

À une de ses extrémités, la promenade ouvrait sur un vaste champ verdoyant, bordé de cahutes débordant de colifichets bigarrés. Au centre du champ se dressaient une scène à ciel ouvert et deux rangées de fauteuils. De part et d'autre de la scène, des haut-parleurs déversaient de la musique. Quand un forain en jean et t-shirt rouge bondit sur l'estrade pour annoncer que le spectacle allait commencer, les gens commencèrent à converger vers leurs sièges.

– Allons-nous assister à un spectacle ? demandai-je.

– Non, répondit Henry, tu vas y participer.

Je me trouvais près d'une tente, à gauche de la scène, quand Henry rattrapa l'homme en jean et en chemise et lui chuchota quelque chose à l'oreille. Ceci fait, mon guide me prit par le coude et, sans un mot, m'entraîna sous la tente qui m'apparut vide, au premier coup d'œil. Puis je découvris dans un coin un vieillard au teint mat, un Indien peut-être, qui se tenait sur une chaise pliante en métal. Il portait un gilet brodé par-dessus une longue chemise sans col, ample et élégante. Son large pantalon blanc était retroussé pour mettre en valeur des chaussures rouges à broderies assorties au gilet. Ses cheveux gris étaient coupés court, et il était rasé de frais. Les yeux clos, il inspirait lentement et posément.

– Rude ? chuchota Henry.

L'homme ne réagit pas.

– Rude ? Rude l'Hypnotiseur, j'ai un assistant pour vous.

Ouvrant les yeux, il les leva vers nous. Et quand il parut reconnaître mon compagnon, il les écarquilla.

– *Henry* ? Est-ce vous, vieil homme ? demanda-t-il d'une voix enchantée.

– C'est moi, mon ami.

Sautant de son siège, L'Indien alla serrer Henry dans ses bras. Il mesurait au bas mot une tête de plus que mon guide, mais il était bien plus maigre.

– Mon vieil ami ! s'exclama-t-il. Que fais-tu par ici ?

S'écartant brusquement, il m'avisa, puis se retourna vers Henry, le visage inquiet.

– Dis-moi ce que tu *fais* là !

– J'ai amené le gamin, pour l'aider.

Rude semblait presque paniqué.

– Juste ciel, Henry ! Sais-tu ce que ça signifie ? Est-il temps ? En es-tu certain ?

Je me souvins soudain des paroles de Big Betty, à l'entrée du parc. Elle avait prétendu qu'Henry prenait de gros risques en me venant en aide… Ce qu'Henry avait confirmé, sans autre explication.

– Qu'est-ce que ça veut dire ? intervins-je. Qu'implique votre aide, Henry ?

Les deux hommes se regardaient, comme sourds à mes questions.

– Mince ! souffla Rude, fixant son ami d'un regard incrédule. Tu en es *sûr…*

Henry acquiesça.

Les yeux baissés sur le sol, Rude flanqua un coup de pied dans le gravier.

Un instant s'écoula, étrange. J'avais l'impression de vaciller au bord d'une révélation majeure…

– Soit, déclara Rude. Que puis-je faire pour vous ?

Le spectacle débuta. Après une brève entrée en matière, Rude bondit sur scène avec une fougue d'adolescent. L'auditoire, composé d'une centaine de personnes, applaudit poliment, à la façon dont la foule manifeste son intérêt à un artiste inconnu.

Rude se lança dans son numéro :

– Messieurs, mesdames, ce soir, préparez-vous à être stupéfiés par le pouvoir de votre subconscient. Vous allez rire de vos amis, apprendre à contrôler vos pensées et vos actes… vous allez être *hypnotisés* !

Des applaudissements plus nourris crépitèrent. Quelques personnes émirent des sifflements. De mon poste, à droite de la scène, cette scène me fit sourire. Ils se réjouissaient donc d'être hypnotisés ?

Rude pria les spectateurs de fermer les yeux et d'entamer un compte à rebours en partant de cinquante. Il précisa qu'il n'était pas encore en train d'exercer ses talents d'hypnotiseur, mais qu'il cherchait à connaître leur capacité à être hypnosés. Tandis qu'ils comptaient, Rude expliqua ce qu'est l'hypnose, insistant à plusieurs reprises sur la notion de *contrôle.*

– C'est vous qui *contrôlez* votre esprit… Même sous hypnose, vous garderez le *contrôle* de vous-même…

Les cinquante secondes révolues, Rude demanda qui, parmi la foule, était absolument convaincu d'être réfractaire à toute tentative d'hypnose.

– Qui, parmi vous tous, estime exercer un *contrôle* total sur son esprit ?

Une personne sur deux environ leva la main.

– Formidable ! s'exclama Rude. Nous tenons nos volontaires !

Il désigna dix spectateurs, cinq hommes et cinq femmes, et les pria de le rejoindre sur scène.

À mesure qu'ils se présentaient, je les fis s'aligner épaule contre épaule, face au public, selon les instructions que Rude m'avait données.

– Maintenant, continua-t-il, y a-t-il des timides parmi vous ? Combien d'entre vous sont réellement gênés de se retrouver face au public ?

Une femme frêle et menue, en jupe noire, leva la main, imitée par un homme robuste en tricot rouge et par un autre de haute taille, en jersey blanc.

L'hypnotiseur pria le trio d'avancer au bord de la scène.

– Que tout le monde encourage ces trois âmes vaillantes en les applaudissant !

La foule obéit. Puis Rude observa ses volontaires.

– En vérité, continua-t-il, je sais que *tous les dix*, vous vous sentez un peu nerveux. Alors, je voudrais que vous fermiez les yeux un instant, que vous preniez une grande inspiration... Bien... Relâchez-vous... Bien. Inspirez de nouveau, retenez votre souffle – un, deux, trois, quatre... Maintenant, soufflez lentement : un, deux, trois, quatre, cinq, six, sept, huit... Détendez-vous. Écartez les pensées parasites et focalisez-vous sur ma voix... Faites le vide dans votre esprit... Voilà, c'est ça... n'écoutez plus que ma voix. À présent, évacuez toutes les tensions de votre corps ; vous sentez votre visage, vos épaules et votre cou se relaxer... Bien. Plus de pensées. Plus de sentiments. Faites maintenant comme si même la foule n'était plus là. Vous voilà complètement seuls sur scène... Bien. Plus de pensées, plus de sentiments, rien que ma voix...

Rude se porta devant les sept autres personnes, au fond de la scène, et leur frôla l'épaule au passage.

– Si avez senti mes doigts sur votre épaule, je veux que vous vous teniez immobiles, les yeux fermés, en respirant lentement.

Il revint au trio, toujours au bord de l'estrade, et frôla leurs têtes.

– Si vous venez de sentir mes doigts sur votre tête, je veux que vous fassiez comme si la foule s'était volatilisée. Vous êtes complètement à l'aise, en sécurité. Vous n'entendez plus que ma voix et vous vous sentez parfaitement bien. En fait, vous êtes plus qu'à l'aise. Vous avez le sentiment que vous êtes sur le point de connaître la meilleure expérience sexuelle de toute votre vie… Vous vous *sentez* absolument SEXY !

La foule éclata de rire. Moi aussi. Pour une raison ou une autre, son accent indien paraissait jurer avec un terme comme « *sexy* ». Les trois sujets ne semblèrent pas remarquer nos gloussements. Rude me fit signe d'approcher et de me placer derrière la femme en jupe noire.

– En fait, reprit-il, vous vous *sentez* tellement bien sur scène en ce moment même qu'à vos yeux, tous ceux qui vous entourent sont absolument sexy, eux aussi. Et vous en êtes tellement convaincus que si vous retourniez à vos sièges, et que je vous demandais ensuite votre avis sur ceux qui se trouvent encore sur scène, vous bondiriez en criant à tue-tête qu'ils sont sexy !

Il tendit la main vers le front de la femme, la poussa en arrière, et ajouta :

– Vous avez tout sous contrôle.

Elle tomba dans mes bras, et ouvrit des yeux surpris. Je l'aidai à se redresser, puis elle se tourna vers moi, tout à fait confuse, se demandant visiblement ce qui venait de se passer.

– Eh bien, madame, fit Rude en approchant aussitôt, vous aviez raison, vous avez tout sous contrôle. J'ai tenté de vous hypnotiser, et vous vous êtes endormie ! Heureusement que mon assistant vous a rattrapée à temps ! Comment vous *sentez-vous* en ce moment ?

La femme ne put réprimer un grand sourire, puis elle vira au rouge cramoisi. La foule éclata de rire.

– Si vous retourniez vous asseoir, ma princesse ? Qu'on l'applaudisse bien fort pour son courage !

Les spectateurs s'exécutèrent. Rude passa aux deux suivants, réitérant les mêmes gestes : une petite poussée, des excuses, une question licencieuse aux sous-entendus stimulants… Le public se régalait.

Rude fit signe aux volontaires restants.

– Bien, passons maintenant à nos sept chanceux. Ils se sont tenus à l'écart tout ce temps, plongés dans un état de semi-conscience, et n'ont pas pu s'amuser avec nous. Qu'en pensez-vous, les amis ? Si nous les invitions à la fête ? À une surprise-party ?

Les spectateurs se déchaînèrent, hilares.

– Eh bien, c'est parti pour la fête !

Une musique disco se déversa des haut-parleurs, et des projecteurs multicolores balayèrent la scène.

– Bien entendu, à toute fête, il faut des danseurs, continua Rude. Qu'en dites-vous, les amis ? Nos volontaires feront-ils de bons danseurs ? *Comment les trouvez-vous ?*

La jeune femme en jupe noire et les deux hommes bondirent sur leurs pieds en braillant :

– *Ils sont sexy !*

Le public éclata de rire.

Tous trois regardèrent autour d'eux, ne comprenant pas bien ce qui venait de se passer, et se rassirent, très embarrassés.

L'hilarité générale redoubla.

– Eh bien, poursuivit Rude, si nos sept amis sur scène sont sexy, je suppose qu'ils feront de très bons danseurs. Bien sûr, nous savons tous que les hommes se font souvent prier pour danser, mais ces trois-là se prêteront peut-être de bonne grâce au jeu, aujourd'hui.

Il les toucha au front, leur chuchota quelque chose – laissant le quatrième homme de côté.

– Et nous savons tous également que les femmes dansent bien mieux que leurs partenaires, elles ont le rythme dans la peau. Moi, je suis sûr que ces trois grâces ont du *Madonna* en elles : elles savent parfaitement *prendre la pose*.

Il les toucha à l'épaule, leur murmura des directives.

– Voilà, les amis, nous avons nos danseurs. Hélas, comme les hommes sont de vraies poules mouillées, il en faudra beaucoup avant que ces trois femmes les persuadent d'être leurs cavaliers. On ne sait jamais ce qui peut arriver quand l'ambiance est bonne. Naturellement, nous savons tous qu'à n'importe quelle fête, il y a toujours ce gars qui fait tapisserie, planté près du punch …

Rude rejoignit le quatrième homme et lui toucha le front à son tour en lui chuchotant quelques mots.

– …Mais qui sait, peut-être se joindra-t-il finalement à la danse, lui aussi.

Le décor était planté. La musique se déversait des haut-parleurs. Des faisceaux multicolores zébraient la scène. Les trois hommes se tenaient d'un côté, les trois femmes de l'autre, tandis que le quatrième gars restait seul près du punch. Redevenus conscients, les sept volontaires se jetaient à tour de rôle des regards perplexes, se demandant ce qui se passait.

Rude désigna soudain les femmes en criant :

– Vous êtes des *Madonna* !

Elles se mirent aussitôt à danser. La première faisait onduler son corps, les bras flottant stoïquement au-dessus de sa tête, la seconde se secouait comme une stipteaseuse, la troisième dansait en rythme avec des mimiques suggestives. Elles étaient ridicules.

L'assistance se tordait de rire.

Sur scène, les hommes riaient aussi.

Rude parla dans le microphone.

– Attendez, les gars… vous êtes en train de vous moquer d'elles ? Alors que vous restez planqués là comme des piquets ? C'est quoi, ça, une boum de collégiens ? Vous n'êtes que de vulgaires *poules mouillées* !

Fourrant leurs mains sous leurs aisselles, les hommes se mirent aussitôt à caqueter, à taper sur le sol, à se dévisser le cou comme s'ils étaient soudain dotés de becs, en remuant dans tous les sens.

L'air horrifié, celui qui ne quittait pas la table au punch lâcha la coupe qu'il venait de remplir, les yeux ronds.

Rude désigna les « poules » caquetant.

– Qu'en dites-vous, les amis ? *De quoi ont-ils l'air ?*

Dans l'assistance, les trois volontaires du début bondirent sur leurs pieds en braillant :

– Ils sont *sexy* !

Je ne pouvais plus m'arrêter de rire.

L'une des « poules » approcha brusquement de celui qui faisait tapisserie, près du punch, et fit mine de lui picorer le nez. Faisant un bond en arrière, l'homme se réfugia de l'autre côté de la scène. L'un des danseurs l'intercepta, lui saisissant les fesses. Sursautant, le pauvre prit la fuite en sens inverse, et là, une des femmes l'attrapa, lascive, l'attirant à elle. Quand elle entama une danse suggestive, il ne parut plus si pressé de s'écarter. Une autre vint danser derrière lui, le prenant en sandwich. Tout sourire, l'homme se mit à son tour à se déhancher.

La foule était en transe.

Après le numéro, je patientai vingt minutes sous la tente de Rude. L'hypnotiseur reparut alors, souriant.

– Navré. Je bavardais avec Henry. Qu'avez-vous pensé du spectacle ?

– J'ai adoré ! C'était hilarant.

– Oh, bien. Merci.

– C'est incroyable, le contrôle que vous exerciez sur eux… Surtout les gens timides. Dire qu'ils se sont retrouvés à hurler à pleins poumons ! Votre charme a parfaitement fonctionné.

Rude s'esclaffa.

– Et pourquoi ça, à votre avis ? Pourquoi les gens font-ils sur scène ce qu'en temps normal ils ne feraient jamais ? Pourquoi se livrent-ils à des actes qu'ils seraient autrement gênés de se voir accomplir ?

– Je l'ignore ! Je me suis demandé tout du long comment vous vous y preniez !

– En réalité, c'est simple comme bonjour. À part les aider à se détendre avec mon charabia d'hypnotiseur,

je n'ai fait qu'une chose ce soir : délivrer momentanément les volontaires de leur *conscience d'eux-mêmes* en
les empêchant de répondre à la question « qui suis-je à
cet instant ? » Vous voyez, dit-il en riant après une
pause, s'ils avaient pu y répondre, leur dialogue intérieur aurait été quelque chose comme : « *Aïe aïe aïe, je
suis en train d'imiter Madonna et tout le monde se moque
de moi !* » Ou bien : « *J'exécute la danse des canards
devant tous ces étrangers !* » Ou encore : « *Je braille à tue-
tête un truc super embarrassant !* » Mais voyez-vous, ils ne
pouvaient pas répondre à ces interrogations parce que
je les avais privés de la capacité de le faire.

— Comment ? Comment y êtes-vous parvenu ?

— J'ai simplement éliminé les trois points de référence dont tout le monde a besoin pour avoir
conscience de soi. J'ai d'abord demandé aux volontaires
de ne plus se préoccuper de leurs pensées ni de leurs
sentiments. Je les ai ensuite incités à ne plus faire cas
du monde extérieur, à ignorer jusqu'à la présence du
public. Enfin, le plus important, je leur ai dit qui ils
étaient : en l'occurrence Madonna, ou bien une
poule.

— Et c'est tout ce qu'il y a à faire ?

— C'est tout, et c'est puissant. Réfléchissez : si vous
vous échappez de votre univers intérieur – vos pensées
intimes et vos sentiments – et du monde extérieur – la
perception qu'ont les autres de vous et votre comportement -, alors vous n'êtes plus en mesure de répondre à
la question : « qui suis-je en cet instant ? » Car, à tout
moment, vous jugez de qui vous êtes *aussi bien* en fonc-

tion de vos pensées et de vos sentiments que de la perception qu'ont les autres de vous. Vous me suivez ?

– Je crois… dis-je, marquant une pause pour bien intégrer ces explications. Donc, si je vous suis bien, pour être conscient de soi, il faut rester connecté à son monde intérieur comme à celui qui nous entoure ?

– C'est presque ça, répondit Rude. N'oubliez pas le troisième point de référence. Car il vous faut aussi *savoir qui vous êtes*. Garder des points de repère intérieurs sur ce que vous êtes et sur ce que vous voulez être. Ceci est l'élément le plus important de la conscience qu'on a de soi-même. Imaginez cette conscience comme une sorte de trépied. Vous pouvez connaître vos pensées et vos sentiments intimes. Vous pouvez percevoir les réactions du monde extérieur. Mais faute de points de repère intérieurs sur votre identité vous permettant de comparer ces informations, vous n'avez plus conscience de vous-même. En d'autres termes, vous devez considérer vos pensées, vos sentiments et les réactions des autres en vous demandant : « Mes pensées, mes sentiments, mes comportements *correspondent*-ils à la personne que je désire être ? »

Rude m'examinait.

– Vous pigez ? La conscience de soi, c'est prêter attention à notre monde intérieur comme au monde qui nous entoure, puis *utiliser* ces informations pour décider des changements qui s'imposent dans notre pensée, notre attitude, ce qu'on ressent ou ce qu'on fait. Vous comprenez ?

– Tout à fait. Redites-moi donc comment ça vous permet de faire danser les gens comme des poulets ?

Rude éclata de rire avec moi, puis, tout d'un coup, il redevint sérieux. Il me jeta un regard presque agacé.

– Écoutez, vous savez que vous n'êtes pas là pour apprendre à faire danser les gens comme des poulets, n'est-ce pas ?

Sa saute d'humeur me prit au dépourvu.

– Euh… oui, naturellement.

Il ne parut pas convaincu.

– Avant que je ne revienne, Henry et moi avons eu une petite conversation. Il m'a parlé de votre situation, et j'estime que vous pouvez tirer une leçon importante de ce que je viens de dire. Êtes-vous disposé à écouter ?

– Oui.

– Vous savez, vous avez de la chance. Vous détenez le don de la conscience. Au contraire des volontaires de tout à l'heure, vous *avez* la capacité de rester à l'écoute de vos pensées et de vos sentiments. Vous *avez* la capacité de prêter attention à la façon dont les autres pensent et réagissent à votre contact. Vous avez la capacité de définir qui vous êtes. En raison de tout cela, vous avez *toujours* été en mesure de vous demander : « Qui suis-je à cet instant ? », et vous avez *toujours* été en mesure de décider si c'était bien cela, la personne que vous vouliez être, ou pas. Vous en convenez ?

– Oui.

– Bien, dit-il, de plus en plus grave, le torse bombé, en relevant le menton pour me fusiller du regard. Alors il serait temps que vous commenciez à vous demander un peu plus souvent : « Qui suis-je à cet instant ? », vous ne croyez pas ? Henry m'a répété ce que vous aviez dit à Mary.

Il fit un pas vers moi, menaçant, comme s'il s'apprêtait à me jeter au sol.

– Quoi ?

Je reculai.

– J'ai entendu ce que vous avez dit à Mary. À propos de ses parents, qui ne l'aimaient pas tant que ça.

Il avança encore dans ma direction.

– *Quoi ?*

Sa soudaine agressivité me prenait tellement au dépourvu que je ne trouvais rien d'autre à dire.

– Il vous suffisait de réfléchir au genre de personne que vous étiez avec elle à ce moment-là. Il vous suffisait d'*être attentif.* De voir l'horreur s'inscrire sur les traits de son visage quand vous lui avez lancé de telles paroles à la figure, de la boucler et de lui présenter de plates excuses.

M'agrippant par les épaules, il me poussa hors de la tente.

Soudain, sa voix n'était plus la même, il n'avait plus le moindre accent indien.

– Au lieu de cela, vous avez toujours été un sale lâche, piétinant sans complexe l'amour-propre de Mary, laissant à votre papa le contrôle de votre esprit, terrifié que vous étiez à l'idée de donner de l'amour à qui que ce soit !

Il me poussa violemment à travers le rideau d'ouverture de la tente. J'atterris par terre, durement.

Il sortit en trombe de la tente, et me domina de toute sa hauteur.

– Cesse de te conduire comme une fiente de poulet et sois enfin un homme !

Je levai vers lui un regard épouvanté. Telles avaient été les paroles de mon père la dernière fois que je l'avais vu.

Deuxième partie

L'attache de l'éléphant

– C'en est trop ! Je me tire d'ici ! hurlai-je.

Henry tenta de me rattraper, mais je n'étais pas prêt à ralentir.

– Une seconde ! lança-t-il dans mon dos. Attends !

Après avoir fui la tente de l'hypnotiseur, j'avais rejoint la promenade foraine avec l'intention de m'échapper sans délai.

– Une minute ! brailla Henry.

Je fendis la foule au pas de course sans un regard en arrière.

– Je ne suis pas venu là pour être malmené ou subir un lavage de cerveau ! Merde à ce foutu parc !

Fou de rage, je filais ventre à terre. Je voulais décamper, un point c'est tout. Comment Rude avait-il osé porter la main sur moi ? Comment osait-il me faire une leçon sur la conscience de soi avant de me jeter au sol ? De quel droit se faisait-il l'écho de mon père en me traitant de « fiente de poulet » ? D'ailleurs, à la réflexion, comment avait-il su que mon père avait employé ces mots ? Pouvait-il s'agir d'une coïncidence ? Oh, non. Dans cet endroit, les coïncidences n'existaient pas.

Je jetai un coup d'œil par-dessus les toits des stands de friandises, cherchant à repérer la Grande Roue. La localisant sur ma gauche, je bifurquai rapidement dans cette direction. Et lançai un autre coup d'œil derrière moi. Plus d'Henry.

Je m'arrêtai brusquement. La foule s'était de nouveau volatilisée.

La surprise passée, je continuai sur ma lancée, remontant le passage abandonné où les forains avaient assailli Mary de leurs vociférations, puis je longeai les manèges pour les petits.

Il n'y avait plus âme qui vive.

Je pressai le pas en passant sous la Grande Roue et en longeant le banc où Henry et moi nous étions assis, puis j'abordai l'esplanade avec son mât central. Je fus frappé de trouver l'entrée du parc déserte, presque surnaturelle. J'avais atteint les tourniquets lorsque j'entendis quelqu'un crier derrière moi :

– *Deuxième round !*

Le sorcier… Pivotant, je le vis, campé devant le pavillon abritant la caverne.

– Vous avez signé un contrat. Il est convenu que vous ne faussiez pas compagnie à votre hôte. Où est Henry ?

– Je m'en moque ! rétorquai-je. Comme je me moque désormais de ce contrat ! Je m'en vais !

Faisant volte-face, je m'approchai des tourniquets.

– ARRÊTEZ !

L'ordre avait tonné comme s'il tombait des cieux, résonnant dans tout mon corps. La nuque hérissée, je me retournai vers le sorcier, dont le regard furieux me transperça.

– Venez *ici* ! ordonna-t-il.

Mes pieds lui obéirent, et me menèrent à lui, malgré moi. Plus j'approchai, moins il paraissait en colère.

Il me regarda avec compassion.

– Si vous étiez qui que ce soit d'autre, je vous laisserais franchir ces tourniquets et retourner à votre vie. Je vous laisserais oublier tout ce qui s'est produit ici. Mais je ne peux pas m'y résoudre.

– Pourquoi ? Qu'est-ce que ça peut bien *vous* faire ?

– Pourquoi ? Pour deux raisons. La première, dit-il en désignant mon jean, c'est l'enveloppe qui se trouve dans votre poche arrière. Je crains que vous ne puissiez repartir avec avant que nous n'ayons déterminé ce qui est arrivé à Mary, et pourquoi. La seconde, c'est que je me soucie d'Henry. Il a mis sa réputation en jeu afin de vous faire entrer. Pour je ne sais quelle raison, vous comptez à ses yeux, et je ne veux pas voir mon vieil ami se résigner à un tel sacrifice pour rien.

Je le dévisageai, les yeux ronds, comme s'il venait de me parler dans une langue étrangère.

– Pourquoi tant d'intérêt pour cette enveloppe ? Pourquoi ne l'emporterais-je pas avec moi hors d'ici ? À quel sacrifice Henry a-t-il donc consenti pour m'amener ici ?

Le sorcier sourit.

– Vous voyez, vous avez encore des questions. Voilà pourquoi vous ne pouvez pas partir. Vous n'avez pas terminé.

– Terminé quoi ?

– D'apprendre. De reconstituer votre histoire et celle de Mary. De faire la paix avec le passé. D'arranger la situation. De planifier un nouvel avenir. Toutes choses que vous apprendrez en leur temps.

– Quand ?

– Ça, ça ne dépend que de vous. Je vous invite à vous attarder un peu. Acceptez-vous ?

Nous passâmes devant la Grande Roue et tournâmes à gauche entre deux stands de sucreries et de boissons. L'odeur agréable de la barbe à papa m'aida à évacuer la tension accumulée.

– Expliquez-moi, demanda le sorcier d'une voix douce, pourquoi vous vous apprêtiez à partir.

Je revis Rude au-dessus de moi, et je me remis à bouillir de colère.

– Rude l'Hypnotiseur… Il s'est montré violent avec moi. Il m'a jeté par terre. C'est inadmissible !

– Rude ? Il vous a fait tomber ? Pourquoi ?

– Je n'en ai pas la moindre idée ! D'un coup, il m'a poussé et… il a répété quelque chose que mon père avait dit, un jour.

– Vraiment ? Qu'a-t-il dit ?

– Il m'a crié de « cesser de me comporter comme une fiente de poulet », et d'être « un homme ».

– Et qu'avez-vous ressenti quand il a dit ça ?

– Qui ? Rude ? Ou mon père ?

– Rude.

– Je ne sais pas… Il m'a fait peur. Je me suis retrouvé par terre, et il m'écrasait avec son regard de fou furieux !

– Vous avez eu seulement peur ?

– Ça m'a aussi mis en rage. J'étais hors de moi !

– Mmh, marmonna le sorcier. Ressentir à la fois de la peur et de la fureur, ce n'est pas extraordinaire. Pourquoi cette colère ?

– D'abord, parce que Rude devenait brutal. Ça a ravivé en moi une vieille exaspération, celle que j'avais ressentie lorsque mon père m'avait dit ces choses.

– Et en quelles circonstances cela s'était-il produit ?

Tout en longeant une rangée de petites tentes sur notre gauche et ce qu'il appelait « le Grand Chapiteau » sur notre droite, je lui racontai l'histoire.

J'avais dix-sept ans, j'étais lycéen. C'était au milieu de la saison du basket-ball. J'avais été renvoyé de l'équipe l'année précédente, mais ma mère avait tout de même organisé un barbecue dans notre cour, pour quelques copains et moi. C'était une journée magnifique. Nos petites amies faisaient également partie de la fête. Je flirtais alors avec une dénommée Jennifer. À l'intérieur, Papa ne quittait pas son antre, où il buvait, comme d'habitude. Quand tout le monde fut reparti, Jenn et moi nous assîmes sur le banc, devant le perron de la maison, et nous bavardâmes pendant des heures. Avant de finir par nous embrasser… C'était mon premier véritable baiser. J'étais sur un petit nuage, mais je n'allais pas tarder à me retrouver en enfer.

Dans la maison, Papa m'appelait. Rien qu'au son de sa voix, je pouvais dire qu'il était ivre. Promettant à Jenn de revenir tout de suite, j'entrai, et jetai un œil au long couloir menant à la cuisine. Par la fenêtre, je vis que Maman, dans la cour, s'affairait au rangement.

Dès que j'apparus, mon père bondit de son fauteuil, furibond.

– Pourquoi diable n'as-tu pas aidé ta mère à ranger la cuisine ?

– Papa, j'étais juste dehors avec…

– Je ne veux pas entendre tes excuses ! Tu n'as que ça à la bouche ! Toute la journée, ta mère a trimé pour cette foutue fête et tu ne peux pas l'aider à nettoyer ?

– Papa, j'étais juste là devant avec… commençai-je, mais il me fit taire d'un coup de cannette de bière qui m'envoya rouler par terre.

– Espèce de petite merde ! Je viens de te dire que je ne voulais pas entendre tes excuses !

Il me flanqua un coup de pied dans le ventre, braillant pour que je me relève.

Tandis que je m'efforçais de me relever, il hurla :

– Tu n'as *jamais* eu la moindre estime pour ta mère !

Il me frappa de nouveau au visage avec sa canette de bière. Retournant au tapis, je me roulai en boule, encaissant ses coups de pied répétés.

J'entendis enfin ma mère lui hurler de s'arrêter. Me redressant, je la vis qui s'interposait entre nous, s'efforçant de le calmer. Debout à l'entrée de la pièce, Jenn était muette d'épouvante.

Ma mère la reconduisit chez elle tandis que j'essuyais mon nez ensanglanté, et nettoyais la cuisine. Indifférent à tout, mon père regardait la télévision.

Moins d'une heure plus tard, la police frappa à la porte. De la cuisine, j'assistai à la scène. Et pendant que mon père répondait aux agents, je songeai que les parents de Jenn avaient dû appeler les flics. J'espérais qu'ils lui passeraient les menottes et le flanqueraient au trou pour toujours. Mais ils repartirent rapidement.

Papa me rejoignit dans la cuisine, livide.

– Prends les clés, dit-il, tu vas nous conduire à l'hôpital. Ta mère vient d'avoir un accident.

Il s'avéra qu'après avoir déposé Jenn chez elle, maman avait été percutée de plein fouet par un conducteur ivre qui venait de griller un feu rouge.

Elle resta six jours en soins intensifs. Après avoir passé la première journée dans sa chambre d'hôpital, je ne supportais déja plus la perspective de revenir la visiter. La vue du sang et des pansements me remplissait d'horreur. La voir dans cet état me rendait malade. Papa m'obligea à y m'y rendre les trois premières journées, mais je réussis à me défiler les quatrième et cinquième jours et restai pleurer à la maison. La cinquième nuit, papa appela à la maison et m'ordonna de revenir veiller sur maman, le temps qu'il aille boire un verre. Après avoir refusé, je raccrochai. Quelques heures plus tard, il se ramena complètement bourré et me battit comme plâtre, jusqu'à ce que je ne puisse plus faire le moindre mouvement. Il braillait qu'aucun homme digne de ce nom ne laisserait sa mère mourir seule à l'hôpital.

– Cesse donc de te comporter comme une fiente de poulet, sois un homme ! Va voir ta foutue mère ! Tu ne l'as jamais assez aimée, sale petit lâche !

Tandis qu'il s'épuisait à me battre, je pris la décision de m'enfuir.

Le jour suivant, je fis mes paquets et me rendis chez Jenn pour l'avertir que j'allais habiter chez un ami. Ses parents m'ouvrirent. Je la demandai. Ils me répondirent qu'elle ne voulait plus me revoir, et que pour leur part, ils ne voulaient pas laisser leur fille traîner avec un type comme moi.

Plus tard, je retournai à l'hôpital. Atterrées par mon visage tuméfié, les infirmières ne cessèrent de me demander si je me trouvais dans la voiture au moment de l'accident.

Les docteurs nous interdirent, à mon père et moi, l'accès à la chambre pendant les derniers instants de la vie de Maman. Ils luttaient encore pour la sauver, et je suppose que nous les aurions gênés. Un médecin finit par nous rejoindre dans le couloir. Me lançant un regard triste, il s'approcha de mon père, puis lui chuchota quelque chose à l'oreille, lui tapota l'épaule et retourna dans la chambre.

Mon père me regarda et secoua la tête. Tandis qu'il tournait les talons, je l'entendis ajouter :

– Si tu ne l'avais pas poussée à organiser cette foutue fête…

Et ce fut la toute dernière fois que je le vis.

Le temps que j'achève mon récit, le sorcier et moi avions contourné le Grand Chapiteau. De l'autre côté se trouvait l'enclos réservé aux animaux de la parade du cirque. Nous nous accoudâmes à la palissade et, de loin, j'examinai certaines bêtes dans leurs cages : des lions, des phoques, des girafes, des tigres et des singes. À quelques pas de là se tenaient également quatre éléphants. Un colosse en t-shirt bordeaux et chapeau de cow-boy s'occupait d'eux. En nous apercevant penchés par-dessus la palissade, il sourit et nous rejoignit.

– Monsieur le Sorcier, fit-il, inclinant son chapeau avec un sourire, ça fait plaisir de vous revoir. Ça faisait un bail.

– Tu l'as dit, Gus ! Comment va la famille ? demanda le sorcier, en désignant les éléphants.

– Oh, tout le monde se porte à merveille ! répondit Gus avec fierté. Toujours plus forts, toujours plus intelligents. Vous savez quoi, l'autre jour, Jo-Jo a soulevé l'arrière d'une camionnette avec sa trompe ! Plus costaud et plus malin de jour en jour…

Portant son regard derrière nous, Gus sourit de plus belle.

– Ça par exemple ! Henry ?

Je me retournai pour voir Henry marcher dans notre direction. Un éclair de culpabilité me traversa.

– Eh oui, Gus, me revoilà !

Mon guide vint s'accouder à la palissade, près de nous, me regarda en coin avant de hocher la tête puis observa le sorcier, qui se tenait de l'autre côté.

Celui-ci le salua d'un signe. Il se passa une minute étrange. Gus parut vouloir dire quelque chose à Henry, mais le sorcier émit un geste de dénégation. Moi aussi, j'aurais eu quelque chose à lui dire : *Je suis désolé.*

– Henry, reprit enfin le sorcier, Gus était en train de nous expliquer à quel point ses éléphants avaient gagné en force et en ingéniosité.

– Ah bon ? fit Henry, se tournant vers moi. Tu t'y connais, en pachydermes ?

– Pas vraiment, répondis-je.

– Oh, il se pourrait que tu les trouves très intéressants. Gus, si tu nous en parlais ?

– Sûr ! fit Gus, ravi. Je serais ravi vous faire un petit topo. Prenez Jo-Jo, par exemple, commença-t-il en désignant l'éléphant le plus proche. Il incarne à merveille le bon pachyderme adulte en pleine forme. Les adultes comme lui mesurent entre trois et quatre mètres de haut ; Jo-Jo mesure trois mètres soixante. De la trompe à la queue, sa longueur dépasse celle de votre *voiture* : environ six mètres quatre-vingt-dix. Il pèse davantage que *quatre voitures*, soit dans les six tonnes. Il peut soulever une masse de plus d'une demi-tonne, et, de sa trompe, il est capable d'arracher de terre un petit arbre. Dans la nature, où son territoire s'étendrait sur à peu près quatre-vingts kilomètres, il peut courir à la vitesse moyenne de trente kilomètres heure. Mais non content d'être fort et rapide, il est aussi malin. Comme ses semblables, il a le cerveau le plus gros de tout le règne animal par rapport à sa masse corporelle, juste derrière l'homme.

De toute évidence, Gus tirait une grande fierté de ces animaux et de son travail.

Henry se gratta la tête.

– Dis-moi un truc, Gus… Une chose m'a toujours échappé à propos de tes éléphants. Tu dis qu'à l'état sauvage, ils sillonnent un territoire de quatre-vingt kilomètres environ et peuvent atteindre la vitesse de trente kilomètres par heure à la course ?

– Tout à fait.

– Et tu dis aussi qu'ils peuvent soulever une demi-tonne, et déraciner un petit arbre ?

– Absolument. Dans la nature, ils arrachent souvent des arbres entiers pour se nourrir.

– Alors dis-moi… comment se fait-il que ceux-ci se contentent d'un périmètre aussi réduit ? Une corde minuscule les retient, reliée à un poteau planté en terre… N'ont-ils pas l'instinct d'arracher ce poteau du sol pour partir gambader librement ?

– Non ! affirma Gus. Ils ont renoncé à cet élan depuis longtemps.

– Comment ça ? fit le sorcier.

– Eh bien, voyez-vous, ces éléphants ne pensent pas qu'ils *pourraient* se libérer. Ils n'étaient que des bébés quand nous les avons attachés pour la première fois. Et sur le coup, ils ont tout fait pour se dégager, vous pouvez me croire ! Ils ont fait un raffut de tous les diables et se sont acharnés. Mais alors, ils étaient trop petits et trop faibles. La corde leur résistait trop. Le temps passant, ils se sont persuadés qu'ils ne pourraient pas s'évader, et ils ont cessé leurs efforts. Ils croient encore qu'ils sont trop petits et trop faibles pour arracher le poteau du sol.

– Cette fois, j'ai compris, dit Henry avec un sourire entendu. Eh bien, Gus, dit-il en regardant Jo-Jo se fourrer du foin dans la gueule à l'aide de sa trompe, je vois qu'il est l'heure pour eux de se remplir la panse, nous te laissons. Merci pour ces précisions. Nous nous reverrons bientôt.

Ayant incliné son chapeau pour nous saluer, Gus s'en alla nourrir ses éléphants.

Le sorcier revint à moi.

– Voilà votre leçon.

– Laquelle ? fis-je.

Il me considéra comme si j'étais un peu niais sur les bords.

– Eh bien, qu'il serait peut-être temps de cesser de vous voir petit et faible. Je dois y aller, moi aussi, dit-il après nous avoir jeté un coup d'œil à chacun. Continuez d'apprendre, aux côtés d'Henry. Au revoir.

Sur ces mots, il s'éloigna.

Je me tournai alors vers mon guide pour lui présenter mes excuses mais, de sa voix douce, il me prit de vitesse :

– Écoute, je suis navré pour Rude. C'était ma faute. Je l'ai poussé à te défier. Et on dirait qu'il est allé trop loin.

– Oui… Ne vous en faites pas, répondis-je avant de laisser malgré moi s'installer un silence embarrassant. Rude s'est fait l'écho de reproches que mon père m'avait adressés, autrefois… Comment l'a-t-il su ?

– Ce parc est plein de mystères, répondit Henry. Parfois on y entend ce qu'on a besoin d'entendre. Je sais ce qui s'est passé entre ton père et toi, ce que tu as dit au sorcier, et je pense que tu as également besoin d'entendre autre chose. Es-tu disposé à m'écouter ?

Je n'en revins pas qu'il puisse être au courant de ce que j'avais dit au sorcier. Mais je cessai bien vite de me questionner. En ces lieux, plus rien ne pouvait me surprendre.

– Je vous écoute.

Henry désigna les éléphants du menton.

– Je pense que tu as besoin de pardonner. À ton père, à toi-même et à tous ceux qui t'ont fait du mal, dit-il, gagné par une exaltation. Tu as besoin de t'affranchir de la peur, de la souffrance et de la colère qui t'enchaînent au passé. Car ces émotions t'empêchent de vivre librement. Elles te dissuadent d'explorer de nouveaux territoires, et d'accomplir ton destin en devenant celui que tu devais devenir. Il est grand temps de te montrer fort et malin.

Je secouai la tête.

– Je sais. C'est juste que... c'est plus facile à dire qu'à faire.

– Voilà pourquoi il est temps que nous allions voir ton père, conclut Henry.

Le bateau pirate

J'emboîtai le pas à Henry.

– Quoi ? Vous avez bien dit que nous allions voir mon père ?

– C'est ça. Maintenant, plus de questions. Par ici. Et réfléchis bien à ce que tu voudrais lui dire.

Nous marchâmes plein nord, au-delà de la réserve d'animaux, pour regagner la promenade qui faisait le tour du parc. Il y avait foule, à nouveau. Nous longeâmes un bassin de bateaux tamponneurs où avaient pris place des hordes de mômes tapageurs, et un carrousel qui tournait sur une musique d'orgue à vapeur. Nous fîmes une halte sur une plateforme en croissant couleur bleu océan, pour contempler un majestueux vaisseau pirate en bois. Deux tours le dominaient, l'encadrant de part et d'autre. Le grand mât du navire arrivait à leur hauteur. Un escalier accédait à l'entrée, percée à flanc de coque.

Des dizaines de visiteurs nous suivaient, et un groupe d'adolescents protestèrent à grand bruit à la vue d'un panneau qui pendait au bout d'une chaîne, à l'entrée du bateau : « ATTRACTION FERMÉE ».

Henry pointa le vaisseau du doigt.

– Cette attraction fonctionne comme un pendule : sous la plateforme, une grande roue pneumatique frotte contre la cale du navire pour lui imprimer un mouvement de balancier. Les gosses en raffolent. Dès qu'ils sont tous calés sur leurs sièges, le vaisseau se balance de plus en plus haut. Nous avions l'habitude de leur distribuer des boucliers, des épées et des bandeaux de borgnes, histoire de parfaire l'illusion, mais nous y avons renoncé car trop de gamins s'amusaient à tout balancer par-dessus bord… Quoi qu'il en soit, l'attraction est fermée, et les sièges on été retirés pour pouvoir répandre du sable sur le plancher.

En face de l'entrée, Henry s'écria : Willy ! Tu es là, Willy ?

Un type en foulard rouge et en tunique rayée noir et blanc vint se pencher au bastingage. Il avait un œil bandé.

– Eh oh, par en bas… ! Qui m'appelle ?

Nous apercevant, il resta bouche bée, puis ôta son bandeau de l'œil :

– *Henry ?*

Willy retira la chaîne qui barrait l'accès au vaisseau, puis dévala les marches pour venir étreindre chaleureusement Henry, le faisant tournoyer dans ses bras.

– Henry, sacré vieux marin d'eau douce ! Te voilà de retour ! s'exclama-t-il en le lâchant pour mieux l'observer. Alors, l'heure est venue ?

Henry acquiesça.

– Nous parlerons de tout ça plus tard, dit-il. Pour l'instant, penses-tu pouvoir faire de ce moussaillon un authentique pirate ?

Willy me détailla des pieds à la tête puis sourit, révélant une denture incomplète.

– *Parbleu* ! s'exclama-t-il joyeusement.

Il passa un bras autour des épaules d'Henry, et l'autre autour des miennes, et nous entraîna à bord du vaisseau pirate.

Le pont faisait une huitaine de mètres de large et une quinzaine de long. Il était bien plus vaste que je n'aurais cru, et venait d'être sablé. Le plancher était couvert de poussière et de copeaux de bois. Au centre s'élevait le mât et, vers la poupe, se trouvait un gouvernail de plus d'un mètre de diamètre. En-dehors de cela, débouchant sur le pont, il y avait la porte d'accès, une ouverture carrée pratiquée dans la coque à tribord.

À l'aide de deux épaisses lanières en cuir rêche, Willy fixa un bouclier en bois à mon avant-bras gauche.

– Ça va, comme ça, moussaillon ?

– Ça va, assurai-je.

Mon bouclier était un peu plus large qu'une pizza format familial, et carrément plus lourd... Mais étrangement, je trouvai un certain plaisir à le porter à mon bras.

Willy me montra comment le tenir, et comment rentrer la tête dans les épaules pour mieux me protéger des attaques.

– Tiens ton bouclier levé, recommanda-t-il, et tu minimiseras toujours le risque d'être blessé.

Il me tendit par la garde une lourde épée en bois, qui offrait une prise en main parfaite.

– Facile à bien tenir ?

Je hochai la tête.

Il m'apprit à multiplier les coups d'œil par-delà mon bouclier levé, afin de mieux repérer les failles dans la défense de l'ennemi. Il m'enseigna aussi la meilleure posture défensive à adopter, jambes fléchies, prêt à bondir à l'assaut épée tendue au moindre signe de vulnérabilité de l'adversaire.

– Frappe toujours le premier, vite et fort.

Willy consacra une demi-heure à me montrer les parades, les feintes, les estocades et les ripostes. En contre-bas, un petit attroupement s'était formé. Les badauds se demandaient ce qui se passait. D'où ils étaient, ils ne voyaient que le haut de notre corps.

– En voilà assez, dit Henry, qui nous observait depuis le poste de pilotage. Il est prêt. Allons-y.

Tous deux gagnèrent la sortie. Jetant sur le pont son bouclier et son épée, Willy descendit le premier. Henry s'apprêtait à le suivre.

– Hé ! lançai-je. Prêt à quoi ? Où allez-vous ?

– Il est temps que nous te laissions seul, dit Henry, pour affronter tes ennemis.

Quelques minutes s'écoulèrent. Je jetai un coup d'œil à bâbord, en direction de la foule. Henry et Willy, qui avaient rejoint la terre ferme, bavardaient. Je les observais quand un petit bruit, derrière moi, me fit me retourner.

Et là... la terreur me cloua sur place.

Mon père se tenait devant moi, barrant la porte d'accès. Il était en train de fixer le bouclier de Willy à son bras gauche.

Incrédule, je fermai les yeux de toutes mes forces.

Lorsque je les rouvris, il n'avait pas disparu. Il était exactement tel que je l'avais vu la dernière fois quand, sortant de la chambre d'hôpital de maman, il s'était éloigné de moi : pantalon noir, chemise blanche de soirée aux manches retroussées, une petite cravate noire négligemment nouée autour du cou.

Je me surpris à avancer vers lui.

Il ajusta la sangle de son bouclier.

À mesure que je me rapprochais, je sentais l'odeur de whisky qu'il exsudait par tous les pores de sa peau.

Penché, il ramassa l'épée et me jeta un premier regard. Ses yeux rougeoyaient.

– *Si tu ne l'avais pas poussée à organiser cette foutue fête...*

– *Non* ! m'entendis-je hurler en lui sautant à la gorge, débordant de haine.

Oubliant les instructions de Willy, je tentai d'abattre mon épée sur lui. Bouclier levé, il para et riposta d'un coup à l'estomac. Je tombai à la renverse sur le pont.

Il chargea à son tour en braillant.

– Sale petite merde ! Je t'apprendrai à lever la main sur moi !

Je reculai comme je pus. En un éclair, il fut sur moi.

Alors qu'il tentait de m'atteindre de son épée, je parai d'instinct son coup à l'aide de mon bouclier, pivotai et le frappai à la cuisse. Il cria de douleur et s'écarta.

Je me relevai tant bien que mal et m'appuyai au bastingage bâbord.

Il revint à la charge en vociférant.

— *Tu n'as jamais eu la moindre estime pour ta mère !*

Il voulut me porter une autre attaque, que je parai encore.

J'entendais la foule en bas nous encourager de ses cris, croyant sans aucun doute avoir droit à un spectacle gratuit.

Fou de colère, je fondis à mon tour sur mon père en hurlant, l'obligeant à céder du terrain.

Bondissant de côté, j'abattis mon arme sur son bras droit, juste sous l'épaule. Hurlant de douleur et de rage, il riposta et me toucha à l'avant-bras gauche, puis me plaqua au bastingage d'un coup de bouclier porté avec tout son poids.

— *Toute la journée, ta mère a trimé pour cette foutue fête et tu ne peux pas l'aider à nettoyer ?*

Comme il repassait à l'attaque, je feintai, mon épée décrivant un large cercle dans les airs pour venir l'atteindre au visage. Il s'écroula dans un glapissement de douleur.

Je m'écartai du bastingage et le dominai de toute ma hauteur. Quand il releva son bouclier, je me déchaînai.

Maniant mon épée comme une batte de base-ball, je fis pleuvoir les coups sur ses bras, ses jambes, ses épaules, ses côtes.

– Enfant de salaud ! hurlai-je sans pouvoir me contrôler, en le battant à tours de bras. Enfoiré !

Je n'arrêtai plus de frapper, de cracher, de brailler, de sangloter.

Je m'acharnai jusqu'à n'en plus pouvoir, la voix complètement brisée. Alors, je reculai, lâchai mon épée, et posai mon regard sur lui.

Il gisait en position fœtale, se protégeant le cou et la tête de son bouclier. Sa poitrine était secouée d'un halètement. Le bras portant son bouclier retomba de côté, dévoilant son visage ensanglanté.

Je le regardai, regrettant qu'il n'ait pas carrément expiré.

– *Tu as gâché ma vie !*

Il cligna des yeux à plusieurs reprises, secouant la tête, puis se redressa en position assise, la bouche en sang. Il jeta un coup d'œil à mon épée, sur le pont, et au bouclier tout proche avant de revenir à moi, l'air exaspéré.

– Je n'ai pas gâché ta vie, fils. Je ne t'ai plus revu depuis tes dix-sept ans. Ton existence est ce que tu en as fait, je n'y suis pour rien.

Choqué, je restai un instant sans voix.

– Non, tu me battais ! Tu as gâché ma vie !

Papa se releva en grognant de douleur. Il se pencha pour ramasser son épée, puis traversa le pont en boitant, marquant une pause devant la porte d'accès. Il lâcha son épée dans l'obscurité, puis se débarrassa du bouclier. Essuyant le sang qui coulait de son nez, il me jeta un autre regard plein de tristesse.

– Tu n'as toujours eu que des excuses à la bouche…

S'apprêtant à descendre, il me considéra une dernière fois.

– Tu n'es plus frêle ni faible. Tu ne peux plus te servir de moi comme prétexte pour vivre replié derrière ton bouclier, l'épée constamment dégainée. Ton existence est ce que tu en as fait, je n'y suis pour rien.

Puis il disparut de ma vue.

Je m'effondrai, en proie à des sanglots irrépressibles.

Une voix rugit :

– *Debout, sale petite vermine !*

Relevant la tête, je me vis, *moi*, surgir de la porte d'accès.

Nom de… !

Mon double prit pied sur le pont. Il portait mes vêtements. Il prenait ma posture. Tenait mon bouclier et mon épée.

– Tu as toujours été un petit pleurnicheur. Allez, debout, petite vermine !

Je restai sans réaction, à me répéter que non, ça ne pouvait pas arriver…

– J'ai dit : *debout !*

Bondissant brusquement, il me porta un violent coup de pied au torse. Je m'effondrai, le souffle coupé.

– Je te *hais*, sale petite merde !

Il m'assaillit de coups de pied et de coups d'épée.

Me roulant en boule, je protégeai ma tête de mon bouclier.

Il s'acharna sur moi, à coups répétés.

– *Sale petit raté !*
– *Espèce de nase foireux !*
– *Bouge ton cul de ce foutu divan !*
– *Tu n'aurais jamais dû organiser cette foutue fête !*
– *Tout est de ta faute !*
– *Tu ne mérites rien de rien !*

Soudain, quelqu'un lui ordonna de s'arrêter. Je l'entendis s'écarter de moi en braillant :

– Fous-moi la paix, bordel !

Risquant un coup d'œil au-dessus de mon bouclier, je vis Mary, devant la porte d'accès.

Elle regardait l'homme qui se tenait face à elle.

– Pourquoi t'infliges-tu cela à toi-même ?

– Mêle-toi de tes oignons ! cria-t-il en se ruant sur elle.

– *Non* ! hurlai-je, incapable d'intervenir. Laisse-la tranquille !

Levant son épée, il s'apprêtait à la frapper.

– *Je t'aime*, déclara Mary, imperturbable.

Il s'arrêta en plein élan, affolé.

– Mon chéri, je t'aime, répéta-t-elle d'une voix douce.

Lâchant son épée, il se mit à reculer.

– Non, non… Ce n'est pas vrai.

– Si, mon chéri.

Se protégeant de son bouclier, il recula encore. Le suivant pas à pas, Mary tentait de contourner son bouclier.

– Pourquoi te caches-tu ? Pourquoi nous infliges-tu cela à nous ? Pourquoi refuses-tu de m'expliquer ce qui se passe ?

– Tu ne comprendrais pas ! Tu ne peux pas me comprendre... Va-t'en ! cria-t-il en se recroquevillant, acculé au bastingage.

Mary tenta de repousser le bouclier.

– Chéri, ne te dérobe pas... Je t'aime. Je veux juste savoir ce qui t'arrive. J'ai besoin de savoir... J'ai besoin de toi.

Eclatant en sanglots, il lâcha son bouclier.

– Je ne peux pas ! Je ne peux pas te le dire !

Il pleurait à chaudes larmes. Mary le prit dans ses bras.

– Pourquoi refuses-tu de m'ouvrir ton cœur ? Pourquoi es-tu si triste ? Ta vie... *notre* vie... est-elle si moche ?

Gisant sur le pont, je m'écriai :

– Non, ma chérie, elle ne l'est pas !

Je luttai pour me relever ; un élancement de douleur me fit grimacer.

Lorsque je rouvris les yeux, tous deux avaient disparu.

Le carrousel

Willy défit les sangles du bouclier de mon avant-bras.

– Plus besoin de ça, moussaillon ?

Epuisé, j'acquiesçai.

– Ni de ça ? ajouta-t-il en me prenant l'épée de la main droite.

– Non.

– Bien. Henry est parti au carrousel. Il veut que tu l'y rejoignes.

Je lui serrai la main, et m'apprêtai à descendre.

– Eh, moussaillon !

– Oui ? fis-je en relevant la tête vers lui.

– Ne t'en fais pas. Tu ne tarderas pas à quitter les eaux sombres pour un lagon translucide.

Henry se tenait dans la file d'attente du carrousel. Quand je le rejoignis, il ne sembla pas remarquer ma présence. Songeur, il couvait l'attraction d'un regard presque… languissant. Yeux clos, il se mit à fredonner la mélodie de l'orgue de Barbarie, qui jouait à l'arrière-plan.

Le carrousel s'immobilisa ; l'opérateur défit la cordelette devant laquelle patientaient les clients. La file d'attente avança, enfants comme adultes se précipitant joyeusement pour se hisser sur les montures de bois. Tandis que nous avancions, j'admirais les chevaux magnifiquement sculptés et peints.

— Ils sont superbes ! dis-je à Henry.

— Peints à la main, m'assura-t-il.

Alors que nous arrivions au bout de la file, l'opérateur nous arrêta, et mit le carrousel en marche d'une simple pression sur un bouton.

Henry se retourna vers moi.

— Tu sais, c'est mon manège préféré. Si simple, élégant et beau. Mais les gens, pour la plupart, ne le voient pas. Le côté spectaculaire des autres attractions les attire davantage. Si tu demandes aux visiteurs qui sortent d'un parc comme celui-là ce qu'ils ont le plus aimé, la grande majorité te parlera des manèges à sensations. Les grandhuit, les montagnes russes et toutes ces attractions qui secouent dans tous les sens. Les gens se rappellent mieux les manèges qui font peur que ceux qui sont simplement agréables. Tu ne trouves pas ça triste ?

— Un peu, c'est vrai…

Je pensais encore au bateau pirate. À Papa. À Mary. Et à moi-même.

— Eh ! fit Henry, sollicitant mon attention. Ça va ?

— Oui, oui, mentis-je.

Mon corps était aussi meurtri que si je venais de passer au broyeur. Et mon esprit n'était guère en meilleur état.

– Écoute, reprit Henry, je sais que tu es déjà passé par pas mal d'épreuves. Et je dois dire que tu t'en sors pas mal. Tu sais, j'ai bien réfléchi à ton histoire, à ta vie, et au parcours que je t'ai vu accomplir jusque ici.

Silencieux, il regarda le carrousel.

– Tu te rappelles les scènes que tu as vues défiler quand tu étais sur la Grande Roue ?

– Oui.

Quelques visions me revinrent à l'esprit : mon père me battant à coups de ceinturon, la mort de Grand-père, Maman dans le bureau du Principal, Maman qu'on emmène en ambulance, Mary qui me quitte…

Tête inclinée, Henry me lança un regard amusé.

– Tu es en train de penser aux cinq premières scènes, j'imagine… Je me trompe ?

– Non… Et alors ?

– Alors… Je me dis que c'est un peu triste. Tu vois, tu es comme la plupart des gens. Tu te rappelles ce qui t'a fait souffrir, mais pas les bons moments. Les moments simples, et beaux… Je pense que tu as vécu ta vie autour de ces cinq premières visions et des thématiques obscures qu'elles évoquaient. Les expériences qui t'ont rabaissé t'obsèdent au point de te faire perdre de vue toutes celles qui, au contraire, t'ont permis de t'élever, lentement et sûrement.

– Que voulez-vous dire ?

– Toute ta vie, tu es toujours revenu vers les mauvais manèges. Ne gardes-tu aucun souvenir des autres scènes que tu as revues sur la Grande Roue ? Celles qui te sont apparues sur un fond couleur limonade ?

— Mais si, je m'en souviens.

— Et qu'as-tu vu ?

Je réfléchis.

— Eh bien, j'étais avec ma mère... Nous faisions du trampoline, dans la cour. Puis je nous ai vus, ma grand-mère et moi, caresser un de ses chevaux en riant. Je me suis revu en train de remporter une course au lycée, puis de serrer la main d'un collègue qui me félicitait après une promotion. Je me suis revu en train de signer le contrat de financement de ma maison. Et Mary... Nous nous enlaçions alors que je venais de la demander en mariage.

— De bons souvenirs, n'est-ce pas ?

— En effet.

— Eh bien, j'ai une question à te poser. Pourquoi n'as-tu pas laissé ces bons souvenirs t'influencer autant que les mauvais ?

Regardant devant moi, je ne sus que répondre.

Henry sourit.

— Laisse-moi t'aider... Tu te rappelles notre conversation sur les grandes thématiques de ta vie ? Nous avons découvert que certaines, dans l'histoire de ta vie, étaient du style : le monde est obscur et dangereux, les gens sont injustes et blessants et toi, tu n'es pas à la hauteur. Tu te souviens ?

— Oui.

— Eh bien, ne dirais-tu pas que tu as en quelque sorte vécu enchaîné à ces thématiques ? Que ton pessimisme en découle en grande partie, ainsi que ta réserve et ton manque de confiance ?

J'y réfléchis. Puis baissai la tête.

— Si, en effet.

— Alors, je le répète, je trouve que c'est bien triste. Il y a probablement eu dans ton existence des tas de moments heureux sur lesquels tu aurais pu te focaliser. Oui, beaucoup d'épisodes merveilleusement positifs que tu aurais pu laisser t'influencer. Des expériences qui auraient pu te rendre plus fort, plus sage, plus malin, plus ouvert aux autres et plus courageux. Au lieu de quoi, les temps sombres de ton existence t'ont obnubilé, et tu t'es laissé submerger.

— Messieurs dames, reprit l'opérateur, interrompant le discours de Henry et le fil de mes pensées, c'est votre tour.

Le carrousel s'était immobilisé. Je ne l'avais même pas remarqué.

— Allez-y, ajouta l'opérateur en nous faisant signe.

— Allez ! s'écria Henry en s'élançant vers les chevaux de bois.

Voilà que les vieillards cavalent, me dis-je en boitant à sa suite, les jambes encore meurtries par les coups d'épée.

Henry choisit une monture et m'invita à prendre celle d'à-côté.

— Je crois que je vais rester debout, ce coup-ci... Je me sens quelque peu moulu.

— N'importe quoi ! fit-il en riant. Ça va être génial ! Allez ! Toi qui adorais les chevaux, en selle !

Le manège se mit en branle, ponctué par les cris joyeux d'Henry. Une dizaine de gosses lui faisait écho.

Je me serais bien joint à l'allégresse générale, mais mes jambes et mon fessier meurtris m'élançaient péniblement... Le bois dur de la selle n'arrangeait pas mes bleus ni mes hématomes.

Le carrousel prenait de la vitesse. Je savourai la caresse de la brise sur mon visage. Les chevaux se mirent à monter et à descendre sur leurs tiges en laiton. Henry fredonnait toujours avec l'orgue de Barbarie. Autour de l'attraction, des visiteurs faisaient signe à leurs proches juchés sur les montures de bois.

Pour la première fois depuis mon entrée au parc, je me sentais bien. Le mouvement du manège, la plateforme qui tournait doucement, les chevaux qui montaient et descendaient, tout cela était très rassérénant.

– Eh ! Vise un peu... sans les mains ! cria Henry joyeusement, levant les bras en croix comme un avion et fermant les yeux. *Youpiee* ! Essaye donc !

Le vieil homme me fit éclater de rire. À mon tour, je tendis les mains vers le ciel, les bras en croix. C'était de moi-même, à présent, que je riais. Je fermai les yeux.

Whoooosh... Un violent appel d'air me happa ; un éclair blanc me fit battre des paupières.

– Allez, petit, du nerf !

Rouvrant les yeux, je vis une femme galoper devant moi. Ma monture renâcla, ses muscles puissants roulant sous la peau pour accélérer l'allure. J'étais au milieu d'un champ de verdure.

– *Allez, petit !*

Incrédule, je secouai si fort la tête que je faillis vider les étriers. Happant les rênes d'instinct, je les tirai sèchement à moi. Le cheval hennit en ralentissant, puis pila. Comme l'élan me faisait basculer en avant sur ma selle, je pris conscience d'une chose : mes jambes n'étaient plus endolories. Surpris, je regardai autour de moi. À l'horizon, le soleil était sur le point de s'abîmer dans un ciel empourpré. De l'autre côté s'étendait une chaîne montagneuse. Ma monture foulait un sol humide à la végétation haute et drue.

La cavalière qui me précédait tourna bride pour revenir vers moi au galop. Dans le soleil couchant, je ne distinguai que sa silhouette.

– Allez, gamin ! Nous sommes presque de retour au bercail… Sitôt que nos gaillards seront dans leurs boxes, tu auras tout le temps de te reposer.

Elle immobilisa sa monture près de la mienne et, en découvrant son visage, je manquai de m'étouffer.

C'était ma grand-mère.

– Eh bien ! Te voilà aussi pâle qu'un linge… Tu te sens bien ? Tu veux de l'eau ?

Elle tendit un bras vers la sacoche de selle battant la croupe de la bête, puis m'offrit une gourde.

J'étais si occupé à la dévorer du regard que je ne songeai même pas à esquisser un geste.

– Vas-y, bois un peu…, insista-t-elle en me mettant la gourde dans les mains.

Grand-Mère était pleine de jeunesse et de vitalité. Rien à voir avec la dernière fois où je l'avais vue. À sa mort, j'avais dix-neuf ans, c'était deux ans jour pour jour après que sa fille, ma mère, eut péri dans un accident de la route.

– Rentrons. Tu as une mine affreuse, mon chéri !
Tu dois avoir faim !

Me prenant la gourde des mains, elle la remit dans
la sacoche et tira sur les rênes, pour faire pivoter sa
monture. Elle m'intima de la suivre.

Je m'arrêtai près du cheval de Grand-mère, devant
la citerne de l'écurie. Elle était déjà en train de le brosser. Je mis pied à terre en flattant l'encolure de ma
monture, qui baissait le cou pour se désaltérer. La surface de l'eau me renvoya le reflet d'un jeune homme
de treize ans.

– Viens, petit ! m'appela grand-mère.

Je contournai la citerne, et elle me gratifia d'un
merveilleux câlin, me serrant fort contre elle et m'embrassant sur le front.

– Tu as bien chevauché aujourd'hui. La prochaine
fois, je te laisserai peut-être monter Tonnerre au lieu
de cette vieille haridelle...

Me lâchant, elle gratta doucement Tonnerre sous
les naseaux pour l'inciter à tourner la tête vers moi.

– Là... Caresse-lui la joue... Il adore ça ! déclara-
t-elle tandis que j'obéissais. Alors, Tonnerre, qu'en
dis-tu ? Tu le crois capable de chevaucher une flèche
comme toi ?

Le cheval s'ébroua, et son souffle souleva de mon
front des mèches de cheveux. Nous partîmes d'un rire
insouciant et rêveur.

Une fois les montures étrillées et désaltérées,
grand-mère me demanda de les installer dans l'écurie.
Elle débarrassa Tonnerre des sacoches, les passant en

bandoulière à l'épaule. Puis elle m'aida à grimper en selle, ajustant les étriers à ma petite taille. Elle me regarda avec chaleur, les yeux pleins de larmes.

– Tonnerre était le favori de ton grand-père. Et tu lui ressembles beaucoup, dans cette posture, ajouta-t-elle, émue, luttant pour refouler ses larmes. Il était tellement fier de toi ! Ne te l'ai-je jamais dit ? Je me le demande… Il t'adorait. Il disait toujours que tu irais loin. Que tu avais bon cœur et bon caractère.

Elle caressa l'encolure de Tonnerre, essuyant une larme sur sa joue.

– Je sais qu'à la maison, ce n'est pas toujours drôle pour toi… Ta mère m'a dit ce qui se passait. Si tu as besoin de quoi que ce soit, surtout, tu m'appelles. Quoi qu'il advienne, je veux que tu gardes la tête haute en toute circonstance, que tu ne fermes jamais ton cœur aux autres… D'accord ? Tu es un bon garçon. Ecoute ton grand-père : n'arrête jamais d'apprendre ni de vivre… Apprends tout ce que tu pourras afin d'être malin et heureux, et choisis l'existence qui te convient. Tu m'entends ?

Ravalant mes larmes, je hochai la tête.

– Bien. Fais donc rentrer ces chevaux.

Elle poussa Tonnerre en direction de l'écurie, l'encourageant d'une tape sur la croupe. Il bondit, et je faillis être désarçonné.

– *Hou làà !* jubila Grand-mère, tout excitée. On croirait chevaucher une tempête, pas vrai ?

Je m'emparai des rênes, pressant légèrement des talons les flancs de Tonnerre, qui se rua vers l'écurie.

– Il te pousse des ailes, mon gamin ! *Yahouu !* Voilà que tu voles !

Bride lâchée, j'ouvris grand les bras.

Whooosh ! Un nouvel éclair blanc, aveuglant…

Au son de l'orgue de Barbarie, je sus où je me trouvais. Rouvrant les yeux, je baissai les bras. Le carrousel ralentissait.

Henry descendit de son cheval de bois, contournant le mien.

– Tu as fière allure là-dessus !

Les yeux pleins de larmes, je tâchai de refouler mon émotion.

– Merci, Henry.

– Y a pas de quoi, sourit-il en s'apprêtant à quitter la plate-forme.

– Henry… !

Il se retourna.

– Oui ?

– J'étais vraiment sincère. *Merci.*

La salle aux miroirs

Henry me tendit le bâtonnet où était plantée une saucisse, que j'attaquai à belles dents.

– Je ferais mieux de te trouver autre chose vite fait ! rit-il, en se retournant vers le stand de hot-dogs. Reste là...

Je patientai à l'entrée de la Salle aux Miroirs, où des visiteurs occasionnels déambulaient, entrant et sortant à leur guise. La compétition était rude entre les attractions... De l'autre côté de la promenade, il y avait les bateaux tamponneurs et un grand-huit à looping appelé le Cyclope.

Au bout de quelques minutes, Henry reparut, tout sourire, deux énormes barbes à papa dans les mains.

– On ne vit qu'une fois, pas vrai ?

Nous gravîmes l'escalier conduisant à la Salle aux Miroirs, entamant notre friandise.

– Comment te sens-tu ?

Bizarrement, je n'avais plus mal nulle part.

– Hum... bien... Je me sens étonnamment bien !

– Tu as l'air en meilleure forme, en effet. Le fardeau qui pesait sur tes épaules commence-t-il à s'alléger ?

– De plusieurs tonnes ! confirmai-je avec un sourire soudain.

– Oh, bien !

Dès notre entrée dans la Salle aux Miroirs, une odeur de renfermé couvrit le doux parfum de la barbe à papa. Les parois étaient peintes de motifs en zigzags dont le temps avait délavé les couleurs vives. L'usure du plancher de bois révélait le passage d'innombrables visiteurs. La pièce principale contenait une dizaine de panneaux auxquels étaient fixés des miroirs aux formes saugrenues. La plupart d'entre eux étaient couverts de poussière, et maculés d'empreintes de doigts enfantins.

– Un incontournable de tout parc d'attractions qui se respecte : les miroirs déformants, commenta Henry, le regard circulaire. Tout le monde s'attend à en voir dans une fête foraine. Pourtant, cet endroit n'est pas si fréquenté que ça. Les propriétaires ne se fatiguent donc pas à le nettoyer, pas plus qu'ils ne se mettent en frais pour le remettre au goût du jour.

Nous nous tenions devant un miroir aux lignes ondulantes qui nous faisait des jambes courtaudes et des torses spaghetti. Avec nos barbes à papa pour compléter le tableau, il y avait vraiment de quoi rire.

– Ce hot dog ne devait pas être frais ! plaisantai-je.

Dans un autre miroir, nous étions des géants, et nos visages s'étiraient démesurément.

– Pourquoi fais-tu une tête de six pieds de long ? me taquina Henry. Je fis semblant de rouspéter.

Un troisième miroir nous privait du milieu de nos corps : nous n'étions plus que des têtes fixées à des paires de chaussures démesurées. Après ma dernière bouchée de barbe à papa, je fis signe au reflet d'Henry en badinant :

– On dirait bien que vous avez la grosse tête !

Approchant d'un nouveau miroir, j'eus la surprise de n'y trouver aucune image de moi-même. Il ne reflétait que le mur du fond de la salle, et un couple qui déambulait à l'arrière-plan. Mais pas moi.

– Oh... ? murmurai-je.

– Regarde de plus près, me conseilla Henry.

Je m'exécutai, mais ne pus rien voir de plus.

– Plus près... Plisse les yeux, s'il le faut.

Encore une fois, j'obéis, et une image brouillée commença à apparaître. En me concentrant encore, je pus voir l'image se préciser. C'était bien moi, dans le miroir, en train de plisser les yeux pour mieux y voir. Mais ce n'était pas vraiment mon reflet. J'étais torse nu, avec l'air de sortir à l'instant du lit. En arrière plan, ce n'était pas la Salle des Miroirs que je distinguai, mais le mur de notre salle de bains, à la maison.

J'étais en train de me regarder me regardant dans un miroir. Une étonnante mise en abyme...

– C'est... bizarre, fis-je, les yeux écarquillés.

Le « moi » du miroir se gratta la tête et se regarda dans la glace. Puis il ouvrit le robinet, s'aspergea le visage d'eau fraîche, avant de se regarder encore. Il inspectait ses cernes et sa mine fatiguée. Se mettant de profil, il laissa pendre sa petite bedaine avant de rentrer le ventre, fléchit le torse et les bras puis se détendit. Il se rapprocha du miroir, se regardant dans les yeux. Ensuite, tête basse, il chuchota :

– Dieu, ce que tu es devenu pathétique…

Je le regardai sauter sous la douche, puis s'habiller, et s'asseoir en silence devant un bol de céréales froides.

– De quoi a-t-il l'air ? demanda Henry.

Ce spectacle m'insupportait.

– J'ai l'air… *Il* a l'air fatigué, c'est horrible ! On le croirait à moitié réveillé, à moitié… mort !

Mon double repassa dans la salle de bains pour se brosser les dents. Dans la chambre, Mary dormait toujours. Il poussa un soupir de désolation.

Une fois sorti, il s'installa au volant de sa voiture. Durant le trajet, il suivit une émission stupide à la radio. Au bureau, il longea des dizaines de postes avant d'atteindre le sien, installé dans un coin. Sans dire mot à qui que ce soit. Son assistante se présenta pour lui transmettre un exemplaire de l'ordre du jour. Elle avait le regard clair et pétillant.

– La journée s'annonce exceptionnelle, n'est-ce pas ? Vous devez avoir hâte d'être à la conférence !

Il ne daigna pas relever les yeux.

– Non, pas vraiment.

Il ne la vit pas froncer les sourcils en secouant tristement la tête.

Assis dans son coin, il répondit aux courriels tout en jetant des coups d'œil absents par la fenêtre. Après avoir consulté une pile de dossiers, il la prit sous le bras et se rendit dans la salle de conférence, à l'autre bout de l'étage. Dès qu'il entra, plusieurs collègues se levèrent pour lui serrer la main. Se fendant d'un sourire contraint, il consacra quelques minutes aux amabilités de rigueur sur le temps qu'il faisait et le match de basket de la veille.

– Eh ! m'exclamai-je sans quitter des yeux le miroir où se déroulait la scène, je reconnais cette conférence. Elle s'est tenue il y a un mois. C'était une grande occasion : l'analyse trimestrielle et une séance de brainstorming pour améliorer les ventes.

Henry désigna mon double pendant que deux intervenants projetaient des diapositives.

– Lui n'a pas l'air de trouver l'occasion si « grande » que ça... Il reste assis là sans rien dire, à griffonner.

– Non ! Je ne suis pas... *il* n'est pas... en train de griffonner ! Il jette sur le papier les grandes lignes d'un meilleur produit !

Au cours de la conférence, mon double émit des objections sur le chiffrage des ventes. Il soumit également ses critiques concernant le produit dont il était question. Mais lors du tour de table de concertation, il ne fit aucune proposition en vue de son amélioration. En fait, il restait assis là sans rien dire, vraisemblablement frustré ou mort d'ennui.

Après le travail, il fit quelques emplettes à l'épicerie du coin. À la sortie, quand l'employé lui tendit ses achats empaquetés avec le sourire en lui souhaitant une bonne soirée, il fit un demi-sourire en réponse puis regagna son véhicule.

De retour chez lui, Mary lui sauta au cou et le gratifia d'un baiser affectueux.

– Salut, toi ! Alors, comment s'est passée cette journée? As-tu pu présenter ton idée?

– Nan, répondit-il. De toute façon, personne ne m'aurait écouté. C'est une bande de nases.

Lui jetant un regard attristé, elle le débarrassa de son manteau. Passant dans la cuisine, il se servit une bière. Elle le suivit.

– Alors tu n'en as même pas *parlé* ? Je croyais que cette idée t'enthousiasmait.

– Laisse tomber, Mary. Tout le monde m'aurait descendu en flammes, de toute façon.

– Mais…

– *Laisse tomber, Mary !* aboya-t-il.

Il passa dans son bureau, alluma le poste de télévision et n'adressa plus la parole à Mary de toute la soirée.

Puis la vision revint et se figea sur le moment où j'inspectais mon reflet dans le miroir, le matin, l'air désappointé.

– Est-ce que tout ça, c'est vraiment toi ? demanda Henry en montrant l'image dans le miroir.

Je secouai tristement la tête.

– Non.

– Alors qui est-ce ?

– Je ne sais pas. Ce n'est pas… vraiment moi.

Henry se tourna dans ma direction.

– Tu sais quoi, fiston ? *C'est* toi. C'est bien toi que nous venons de voir, non ? Un jour de ta vie qui a *réellement* eu lieu, n'est-ce pas ?

– Oui. Mais ce n'est pas le *vrai* moi.

– Allez, ça va comme ça ! se récria Henry. Épargne-moi ta soupe psychologique ! C'était bien *toi* ! Et c'est bien *celui* que tu es devenu ! C'est ce que tu es maintenant, non ?

Surpris, je le regardai dans les yeux. Où était passé le bonhomme jovial friand de barbe à papa ?

– Écoute, il faut savoir voir les choses telles qu'elles sont. Il n'y a pas de « toi » *réel* contre un *faux* « toi ». Pas d'ego réel contre un faux ego. Tu es ce que tu es, entièrement et complètement. Toutes tes émotions et tes comportements font partie de la personne que tu es aujourd'hui. À défaut d'en accepter les différentes dimensions, tu te mens à toi-même. Tu évites de te voir en face. Il y a peut-être des facettes de ta personnalité qui te déplaisent, des morceaux de ce que tu viens de voir, mais tout cela fait partie de toi, à moins que tu ne parviennes à évoluer. Tu dois admettre que même les mauvais aspects sont des aspects de toi. Sinon, tu ne changeras jamais. C'est bien toi que nous venons de voir, pas vrai ?

Je hochai la tête.

– Alors, ne te dérobe plus. C'est ainsi qu'est ta vie. Et c'est ce que tu es aujourd'hui. À toi de décider si c'est ce que tu veux vraiment être demain.

Henry s'éloigna, me laissant seul face à mon avatar.

Après quelques instants, je m'éloignai à mon tour à grands pas, dégoûté, et me mis à la recherche d'Henry. Je longeai les miroirs que nous avions découverts un instant auparavant. Mon reflet se déformait et se brouillait rapidement à mesure que je passais devant eux. Dans l'un d'eux cependant, j'aperçus du coin de l'œil que mon image y était moins déformée qu'ailleurs. Me tournant franchement, je croisai le regard d'un jeune garçon. À l'arrière-plan, je distinguai la pièce où je me trouvais. L'enfant avait de longs cheveux ondulés et les joues rondes ; il portait une simple tunique blanche, un short couleur kaki, des socquettes blanches et des espadrilles bleues.

Moi, à l'âge de six ans...

Au souvenir de l'innocence de l'enfance, je souris.

Il me renvoya mon sourire.

Surpris, j'inclinai la tête. Il m'imita. Je levai la main pour lui faire signe. Il me singea.

– Quel drôle de jeu ! fit-il.

Soudain, le décor se modifia. Mon jeune double se tenait maintenant devant une grande palissade. Il y avait de l'herbe et un trampoline.

L'enfant pivota sur ses talons, courut dans la cour, grimpa sur le trampoline et commença à sauter dessus. Il criait et riait sans retenue, bondissant de plus en plus haut avec des piaillements excités à chaque fois qu'il parvenait à gagner de la hauteur.

Une petite fille survint. C'était sa voisine.

– Je peux sauter avec toi ?

Il s'arrêta.

– Mais oui ! Grimpe !

– Je ne peux pas toute seule...

Il ne vit pas sa mère, qui apparut à l'arrière de la maison.

– Mais si ! insista-t-il en bondissant à terre. Je vais t'aider…

Il lui fit la courte échelle, puis lui montra comment, en sautant à tour de rôle, ils pouvaient se donner mutuellement de l'élan. Leur jeu ponctué de rires se prolongea une heure.

Puis les parents de la fillette la rappelèrent, et elle dut partir. Le garçon l'aida à redescendre en lui disant au revoir.

– Merci d'avoir joué avec moi.

Sa mère vint le serrer très fort dans ses bras, le souleva du sol et le fit tournoyer.

– Quel bon petit garçon tu es !

– Nous jouions au trampoline.

– Je sais ! Je t'ai vu. Et tu t'es montré adorable !

Elle le posa sur le trampoline, ôta ses chaussures et y grimpa à son tour. Le reprenant dans ses bras, elle se mit à sauter avec lui.

– Tu as si bon cœur, mon grand ! Amuse-toi avant tout, aide les autres à aller plus haut, et tout ira bien !

Je les regardai sauter ensemble pendant une dizaine de minutes, puis fondis en larmes. La mère annonça qu'elle devait préparer le dîner, et descendit du trampoline. Avant qu'elle ne disparaisse dans la maison, le petit garçon lui demanda d'attendre tandis qu'il sautait de plus en plus haut.

– Regarde, maman, je peux monter plus haut que n'importe qui ! Aussi haut que je veux !

Elle l'applaudit fièrement, puis s'en fut.

Il continua quelques instants, avant de la suivre à l'intérieur. Alors qu'il traversait la cour, il s'arrêta brusquement, comme s'il oubliait quelque chose,et revint se poster là où il se trouvait au début de la scène, dans le miroir. Campé devant moi, il me fit signe.

Je lui fis signe à mon tour.

D'un pas, il traversa alors le miroir pour apparaître en chair et en os devant moi.

– Bonjour, monsieur.

Bouche bée, je ruisselais de larmes.

– Oh… Hum… Bonjour, mon garçon…

Il me dévisagea de son regard brillant.

– Un jour peut-être, vous pourrez venir jouer avec moi.

Tâchant de me ressaisir, je lui souris.

– Bien sûr, petit. Tu peux y compter.

– D'accord ! s'exclama-t-il, tout joyeux.

M'ayant étreint la jambe, il recula, pivota et disparut dans le miroir. Après un dernier signe, il traversa la pelouse en courant.

Je tendis la main et touchai la surface miroitante. L'image changea instantanément, me faisant sursauter.

Un coup de feu.

Des sprinters bondirent des starting blocks.

Dans cette nouvelle vision, je courais à toute vitesse. En filant vers la ligne d'arrivée, je me rapprochais de la surface du miroir. Je me vis gagner la course et soudain, un adolescent de dix-sept ans bondit hors de l'image. Plié en deux, il luttait pour reprendre son souffle. Il était en sueur, mais souriait largement. Puis il releva les yeux vers moi.

– Rapide, hein ?

– Rapide, répétai-je, encore sous le choc.

Main levée, il me gratifia du signe de la victoire avant de repartir d'où il venait.

L'image se modifia de nouveau.

Plein d'assurance, un homme sortait du bureau de son patron. C'était moi, une fois de plus. Il échangea une poignée de main avec un collègue et ami de longue date. Grâce à un projet audacieux, tous deux venaient de décrocher une promotion, et ils se heurtèrent la poitrine à la façon des footballeurs. Puis il s'écarta et traversa à son tour le miroir pour venir se camper devant moi. Il m'empoigna, me saisit par le cou, et me frotta la tête de ses phalanges.

– On s'est débrouillés comme des chefs, pas vrai ? fit-il d'un ton charismatique.

Puis il sauta à son tour dans le miroir.

L'image changea encore.

Mary.

Le « moi » du miroir et Mary s'étreignaient à l'arrière de ma nouvelle maison. Ils se tenaient près d'une grande table couverte de bougies et de roses.

Il s'agenouilla.

– Mary, avec toi, la vie vaut la peine d'être vécue, et tu m'as apporté la lumière. Acceptes-tu de partager mon existence ? Veux-tu m'épouser ?

Surprise, Mary porta ses mains à son visage et fondit en larmes.

– *Oh, mon chéri, la réponse est oui !*

Elle le couvrit de baisers ; il l'attira dans ses bras, la berçant pendant ce qui parut être une éternité. Il ne pipait mot, de peur qu'elle entende sa voix se fêler.

– Je suis si heureuse ! dit-elle enfin. Avec toi, j'ai l'impression d'être une princesse... Je t'aime tellement !

– Je veux juste te rendre heureuse, Mary, être un bon mari...

Elle se blottit dans ses bras.

– Tu l'es déjà. *Tu l'es...* tu l'es... tu l'es...

Quelques instants plus tard, elle se retira pour aller essuyer le maquillage qui avait coulé sur ses joues. Comme elle disparaissait dans la maison, il s'effondra sur un siège, et se mit à pleurer. Des larmes de joie ruisselant sur ses joues, il hochait inlassablement la tête, comme pour mieux se convaincre qu'elle venait bel et bien de dire oui.

Puis il tourna les yeux vers moi, me lançant un regard direct, eut un signe d'approbation et chuchota :

– Tu l'*es.*

Troisième partie

Le pavillon au bétail

En sortant de la Salle aux Miroirs, je pris une profonde inspiration. L'air paraissait plus léger, plus vivifiant. Le brouhaha de la foule me semblait moins assourdissant. Je descendis les marches. Sur le côté, Henry fumait la pipe.

– Vous fumez ?

– Non ! me répondit-il en se fondant dans le flot des visiteurs.

Amusé, je lui emboîtai le pas.

– Comment ça ? Vous êtes en train de fumer en ce moment même !

– On ne vit qu'une fois, pas vrai ?

Son attitude avait changé. Il paraissait fatigué, distrait.

Nous retournions vers le sud, en direction des éléphants. En silence. Henry avait un regard absent.

– Tout va bien ? m'enquis-je.

Acquiesçant, il tira une grosse bouffée sur sa pipe.

– Absolument, fiston. Je me sens juste un peu fatigué. C'est que je ne suis plus de première jeunesse… ajouta-t-il avec un sourire rassurant. Mais ne perdons pas de temps, nous avons encore du pain sur la planche.

– Qu'allons-nous faire maintenant ?

– Nous allons avoir une petite discussion sur ce que tu fais de ton existence. La scène que je viens de voir dans le hall aux miroirs n'augurait rien de bon.

Secouant la tête, je lui donnai une tape dans le dos.

– Ne vous en faites pas, Henry. Je me sens si différent désormais. Je vais changer tout ça.

Henry s'arrêta, et me prit par l'épaule.

– Tes intentions sont louables. Mais laisse-moi te demander une chose… Depuis *quand* cela dure-t-il ? Ton insatisfaction au travail, les querelles qui en découlent avec Mary, le fait que tu sois coincé dans un job et une vie qui ne te conviennent pas ?

À cette question, mon enthousiasme retomba comme un soufflé.

– Un ou deux ans…

– Un ou deux ans ?

Je baissai les yeux.

– Peut-être un peu plus.

Henry donna un petit coup de pied dans ma chaussure.

– Quatre ! grogna-t-il d'un ton sévère. Et pendant ces *quatre* années, t'est-il arrivé, ne serait-ce qu'un instant, de te sentir vraiment bien, comme maintenant ?

– Oui, c'est arrivé. Mais en comparaison d'aujourd'hui, je…

– Bien ! coupa-t-il. C'est bien. Mais tu vois, ce n'est pas parce que tu commences à t'affranchir du passé et à te sentir plus léger que tu vas changer ! Nous devons avoir une discussion sérieuse sur les raisons pour lesquelles tu t'es autant laissé aller depuis quatre ans.

Car toi et moi savons parfaitement que ton passé difficile n'est pas seul en cause. Ce qui est en cause, c'est
aussi ta façon de faire des choix. Alors, acceptes-tu
d'aller au fond des choses avec moi ?

Sa voix avait pris des inflexions rugueuses. Était-ce
parce qu'il venait de fumer, ou bien parce qu'il se sentait fatigué ? Peut-être était-ce *moi* qui le fatiguais ? En
tout cas, je sentais bien que quelque chose le tracassait.

– Certainement, Henry. Je veux bien parler de tout
cela.

– Bien.

Nous continuâmes vers le sud, longeant les cages
des bêtes jusqu'à un énorme édifice aux parois d'acier.

– Le Pavillon au Bétail, annonça Henry, d'un ton
dédaigneux que je ne lui connaissais pas.

– Cet endroit vous déplaît ? fis-je. Nous ne sommes
pas obligés d'y entrer. Je n'aime pas l'odeur des ména-
geries, de toute façon.

– Moi non plus. Mais nous devons y aller quand
même.

L'entrée se faisait par une porte de garage haute
comme deux étages d'immeuble. Le sol crasseux était
couvert de fumier.

Plissant le nez, Henry me jeta un coup d'œil.

– Quand faut y aller... La mouise qui règne ici n'a
hélas épargné aucune de nos deux existences. Ouvrons
l'œil, ça nous évitera d'y patauger à nouveau.

Installés sur la rangée supérieure des gradins,
quatre rangs au-dessus du sol, nous surplombions tout
le pavillon. Dans des enclos métalliques se pressaient

du bétail, des cochons, des chèvres et des chevaux, répartis sur ce qui devait bien occuper deux terrains de football mis bout à bout. La cacophonie ambiante était quasiment assourdissante. Au milieu du pavillon s'étendait une piste circulaire fermée par une barrière. Henry m'expliqua que cette arène servait aux démonstrations. C'était là que les éleveurs et les propriétaires de ranchs exhibaient leurs bêtes.

L'ensemble des lieux dégageait une impression d'immensité.

– Je n'ai jamais rien vu de tel, avouai-je.

– Moi, au contraire, j'en ai trop vu, soupira Henry.

Il chuchotait comme s'il se parlait à lui-même.

– Oh ? Vous avez grandi dans un ranch ?

– En quelque sorte, dit-il, l'air troublé, les yeux baissés sur les enclos. Tu te souviens…

Il fut soudain pris d'une quinte de toux. Il s'étouffa si fort et si longtemps que je me mis à lui taper dans le dos. Quand la crise fut passée, il me remercia. Je ne pus m'empêcher de le taquiner :

– On dirait bien que la pipe ne vous réussit guère…

– Probablement… fit-il, pâle, avant de cracher par terre. Tu te souviens, quand je me suis porté garant pour toi, à l'entrée du parc ?

– Bien sûr. À ce propos, je voulais justement vous demander… Je voulais vous remercier, avant tout. J'ai conscience que cette décision vous engage personnellement. Alors, merci.

Henry me dévisagea, comme s'il voulait s'assurer de ma sincérité. Puis il me donna une tape sur le genou.

– Eh bien, ce fut un plaisir pour moi. J'ai vu quelque chose en toi. Et en découvrant l'enveloppe que Mary n'avait pas ouverte, j'ai compris que nos destins étaient *nécessairement* liés. Or, si c'est bien le cas, autant que je te parle un peu de mon histoire, à mon tour. Par malheur, reprit-il après une pause, les yeux dans le vague, ce genre de choses arrive souvent dans des endroits comme celui-ci.

Henry se cala mieux sur son siège, comme s'il se préparait à une longue narration :

– Ma vie n'est pas si différente de la tienne, au moins pour ce qui est des grandes thématiques. Comme toi, j'ai longtemps pensé que le monde était sombre.

« J'ai grandi dans le Wyoming. La plupart des gens l'ignorent. Il y faisait un froid infernal, et je n'aime pas trop en parler. Le simple fait de l'évoquer suffit parfois à me glacer jusqu'aux os.

« Mon père travaillait dans les mines de charbon. Il était grand et rude. Il en voulait à la terre entière parce qu'il n'avait pas eu la vie qu'il désirait. Mais nous, ses enfants, il nous aimait. Il ne le disait jamais mais de temps à autre, il nous couvait du regard avec fierté. Quand j'avais douze ans, je me rappelle qu'il s'est penché vers moi pour m'étreindre, qu'il m'a regardé droit dans les yeux – ce qu'il n'a presque jamais fait – et m'a dit qu'il *savait* que je le rendrais très fier. Il affirmait volontiers à ses collègues que ses gosses n'auraient pas de problèmes pour se faire une place dans la société. Il se crevait au boulot et se sacrifiait pour qu'on puisse aller à l'école et prétendre à un meilleur avenir que le sien.

« Bref, j'avais treize ans quand le tunnel où papa travaillait s'est effondré. Lui et douze autres gars furent ensevelis. Son corps ne fut jamais ramené à la surface.

– Oh, non… ! soufflai-je. Je suis désolé, Henry.

Non seulement j'étais navré pour lui, mais je me sentais aussi coupable de ne m'être jamais intéressé à lui alors qu'il me questionnait tant sur moi.

Il ne parut pas m'entendre.

– Chaque détail de ce matin-là m'est resté en mémoire. Avant de partir travailler, Papa nous avait grondés, moi et Will, mon frère cadet, parce que nous n'avions pas fait notre part des corvées. Il avait ajouté que nous devrions être plus responsables, puis il avait gentiment ébouriffé Will. Ce matin-là, il m'avait demandé d'être un bon garçon, de bien m'occuper de mon frère. « *Tu es plus grand que lui, Henry* », m'avait-il dit, « *alors tu devras toujours veiller sur ton petit frère, et sur les autres.* » Avant de partir, il a dit à Maman qu'il rentrerait à l'heure comme d'habitude. « *Merci pour le petit déjeuner, chérie. Tu es la lumière qui me ramène chaque jour du fond du puits.* » Il ne manquait jamais de le lui dire. Et puis il est parti.

« Quelques années plus tard, maman est morte de chagrin. Les docteurs ont dit que c'était une crise cardiaque, un problème de valve, mais nous, nous savions à quoi nous en tenir. Will et moi nous sommes retrouvés seuls au monde. Nous n'avions personne pour nous recueillir, ni famille, ni amis. Alors la paroisse locale nous a trouvés un logement et du boulot... à l'autre bout de l'Etat. Wade, notre patron était le propriétaire d'un ranch. Il avait promis de nous nourrir et de nous loger. Mais personne ne se doutait qu'il allait nous exploiter cruellement et nous faire dormir à l'écurie. Par malheur, nous étions encore trop petits pour prendre nos propres décisions. Nous allions où on nous disait d'aller.

« Wade avait déjà un tas d'hommes à son service et il ne nous fallut pas longtemps, à Will et à moi, pour comprendre que nous n'étions pas les bienvenus. Nous étions tout jeunes, faibles et inexpérimentés. Les autres le savaient et nous le rappelaient à chaque instant. Ils nous refilaient les corvées dont personne ne voulait, nous jetaient les reliefs de leurs repas, bref, ils ne rataient pas une occasion de nous traiter comme des chiens. Si nous commettions des erreurs, au lieu de nous expliquer, ils nous battaient. À coups de poing, ou avec tout ce qui leur tombait sous la main : de la corde, des rênes, un bidon...

« Le pauvre Will vivait dans la terreur, mouillant fréquemment ses draps, même après ses quinze ans... Je faisais l'impossible pour le protéger. J'enchaînais les heures de corvées pour les lui éviter. Si on manquait de nourriture, c'était moi qui me privais. S'il faisait une bêtise, j'en endossais la responsabilité. Et si quelqu'un lorgnait sur lui pour une tâche trop difficile, je me portais immédiatement volontaire.

« Tout ce que nous voulions, c'était nous intégrer, être acceptés. Alors, nous faisions tout ce que nous pouvions pour répondre aux attentes des employés du ranch. Nous respections leurs règles. Nous tentions de les impressionner. Nous travaillions plus dur que quiconque, espérant un soupçon de reconnaissance. Au déjeuner et au dîner, nous passions derrière eux pour nettoyer, et nous prenions soin de leurs chevaux. C'était toute notre vie, tenter de devenir l'un d'eux et de les impressionner. Mais l'exploitation et les mauvais traitements ne cessèrent pas.

« Will et moi parlions sans cesse de nous enfuir. Mais où irions-nous ? Et que ferions-nous ? Nous n'étions que deux gamins sans ressources. Alors nous restions. Et nous souffrions.

« Et puis un jour, le jour des dix-huit ans de Will, nous avons décidé que nous en avions assez, et que nous partirions dès le lendemain. Nous partions à l'aventure. Nous ne savons pas ce que nous allions faire, mais... tout plutôt que de travailler dans un ranch ! Cette nuit-là, pour fêter ça, j'ai subtilisé une bouteille de whisky et enivré mon frère. Nous avons parlé de toutes les découvertes qui nous attendaient, nous avons bu, dansé, chanté... À un moment, Will était si euphorique qu'il a voulu sauter du haut de la soupente de l'écurie pour atterrir dans un chariot rempli de paille. Il a exécuté un incroyable saut périlleux... Il ne s'y serait probablement pas risqué si je ne l'avais pas fait boire.

Le regard perdu en direction des enclos, Henry se tut un instant.

– Mais Will est retombé trop loin... Il s'est brisé la nuque sur le chariot...

– Oh, non… m'écriai-je. Oh, non !

– …Après sa mort, je ne…

Henry revivait la scène. Il s'éclaircit la gorge.

– Après la mort de mon frère, j'ai quitté le ranch de Wade. J'ai décidé de tenter ma chance seul.

Il secoua la tête.

– Et tu sais où j'ai échoué ? Dans un foutu ranch ! Je m'étais plus ou moins persuadé que je ne savais rien faire d'autre. Je ne connaissais qu'une seule chose au monde, n'est-ce pas. Le travail de ferme… Alors je me suis laissé piéger par mon unique talent. Les dons du ciel sont parfois empoisonnés. Tout a recommencé, comme avant. Je me tuais à la tâche pour impressionner les gens et me faire accepter. Et tu sais quoi ? Ça a fini par se remarquer. À tel point qu'au bout d'un an, un des chefs m'a proposé de le suivre dans un autre ranch où je gagnerais mieux ma vie. J'ai répondu oui, pourquoi pas ? Durant les quinze ans qui ont suivi, ç'a été la même histoire. Je m'échinais sans trêve ni repos pour satisfaire les attentes des autres, afin de les impressionner et de m'intégrer. Si quelqu'un m'acceptait, j'étais prêt à le suivre où qu'il aille. Je suivais les rêves des autres. J'allais partout où il y avait la moindre perspective de reconnaissance et d'intégration.

« Le plus tragique, dans l'histoire, c'est que je n'aimais même pas mon métier ! Chaque matin au réveil, je fixais mon reflet dans le miroir et contemplais un type parfaitement misérable. Vos yeux vous trahissent toujours. Personne autour de moi ne pouvait ignorer que je nageais dans le désespoir. J'ai fini par m'en sortir, mais ça, c'est une autre histoire… conclut Henry en se tournant de mon côté. Tu sais pourquoi je te raconte cela ? Parce que j'ai surpris *exactement* ce même air sur ton visage, dans la Salle des Miroirs. Un air de profond découragement. Ton regard en disait long. Tu es en proie à un désespoir sans fin parce que tu consacres tes journées à quelque chose qui t'indiffère totalement.

Nous restâmes assis en silence jusqu'à ce qu'Henry se redresse soudainement, le sourire aux lèvres, montrant du doigt la piste de démonstration.

– Tu vois ce veau, là-bas ? Celui qui se tient à l'écart ?

– Oui, je le vois.

– Regarde-le, ce petit gars… ses pattes…

Elles tremblaient.

– Écoute-le.

L'animal affolé poussait des gémissements.

– Regarde !

Le veau apeuré trottina maladroitement vers les vaches et les autres petits, se frayant un chemin parmi eux.

Henry éclata de rire.

– Quel splendide à-propos ! Voilà ce qui *nous* arrive ! Nous sommes terrifiés rien qu'à l'idée de nous retrouver seuls ou délaissés. Alors nous suivons le troupeau, en faisant ce qu'on nous dit, ou bien en imitant les autres.

Je voyais ce qu'il voulait dire, mais je n'étais pas d'accord.

– Si ce veau ne restait pas avec son troupeau, il ne survivrait pas.

– Peut-être, dit Henry en se tournant vers moi, souriant. Une chance que nous ne soyons pas des veaux.

Nous quittâmes le pavillon pour fuir le vacarme des animaux. Henry me fit asseoir sur un banc, non loin du pavillon d'où nous sortions.

– Écoute, tu vois bien où je veux en venir. Ta carrière te pèse. Je ne doute pas que tu aies des activités prenantes, mais l'insatisfaction est là, et des journées bien remplies ne font pas forcément d'un job celui de ta vie. Ai-je tort ?

Je regardai le pavillon.

– Alors, le but de tout ça, c'est de m'amener à démissionner ?

– Non ! se défendit Henry. Le but de tout ça, c'est de t'amener à t'interroger sur la *raison* pour laquelle tu as le métier que tu as. Ta trajectoire est-elle celle dont tu rêvais, ou es-tu tombé dedans par hasard ? Nous savons tous les deux que tu n'es pas resté dans ce job parce qu'il te fait te lever chaque matin et chanter sous la douche.

« À mon avis, tu étais comme ce petit veau. Quelqu'un t'a dit où aller, ou alors tu t'y es rendu de toi-même pour ne pas rester isolé. Je pense que tu voulais te faire accepter par quelqu'un, alors en prenant ce boulot, tu t'es efforcé de répondre à ses attentes et de l'impressionner.

Henry me lança un regard perçant.

– De qui suis-je en train de parler ?

Les yeux baissés, je hochai la tête.
– De Mary, soufflai-je.
Henry se leva.
– *Maintenant,* nous commençons à progresser.

Les bateaux tamponneurs

Tandis que nous nous éloignions du Pavillon au Bétail pour revenir vers le hall aux miroirs et le carrousel, Henry me bombarda de questions.

– Alors, ce job que tu admets ne pas aimer, tu l'as pris à cause de Mary ?

– Au départ, oui.

– Qu'entends-tu par « au départ » ?

– Elle voulait que j'aie un travail stable… afin de mieux construire notre avenir ensemble. Elle parlait toujours de la belle maison que nous aurions. Alors quand il y a eu cette offre, j'ai su qu'elle désirait que je postule.

– Elle te l'a dit ?

– Plus ou moins.

– Comment ça « plus ou moins » ? A-t-elle oui ou non dit : « Je veux que tu obtiennes ce poste » ?

– Elle ne l'a jamais présenté en ces termes. Ce n'était pas nécessaire.

– Alors Mary n'a jamais clairement spécifié qu'elle voulait que tu prennes ce travail ?

– Pourquoi insistez-vous tant là-dessus ? fis-je, agacé. Non, elle ne l'a pas *exactement* dit comme ça.

Mais, je vous le répète, je savais que c'était ça qu'elle voulait. Voilà le contexte : je venais d'être viré de mon job, au pire moment. Le mois précédent, j'avais demandé Mary en mariage. Et trois semaines plus tard, j'allais lui faire la surprise de l'emmener sur les Iles Vierges. Ses parents s'y rendaient à l'occasion de leur trentième anniversaire de mariage. Je comptais donc emmener Mary là-bas et les rejoindre pour fêter nos fiançailles en même temps que leurs noces de perle.

Henry soupira.

– *Aïe...* Ça ne pouvait pas plus mal tomber, en effet ! Alors, tu t'es fait virer ? Et tu as annulé le voyage ?

– Non, tout était déjà planifié et payé. Y renoncer n'aurait rien changé. Mais vous savez, me retrouver dans le rôle du fiancé au chômage ne m'emballait pas. Bref, pendant ces trois semaines d'intervalle, je me suis démené pour trouver un autre emploi. Et quand nous sommes partis, j'avais déjà plusieurs offres.

– Un bon point pour toi, approuva Henry. Tu es débrouillard. Toutes ces propositions concernaient-elles le même secteur d'activité ?

– Non. Deux d'entre elles m'ont surpris, d'ailleurs. Il s'agissait de relations publiques, pas de vente. J'avais demandé à mon chasseur de têtes de voir s'il y avait des offres dans les relations publiques, et il en a trouvé. Mais en fin de compte, j'ai opté pour un job de commercial.

– Tu avais pourtant cherché quelque chose dans les relations publiques. Pourquoi y avoir renoncé ?

– Parce que ça ne payait pas autant. Et je n'avais ni l'expérience ni les compétences nécessaires. Comme je l'ai dit, Mary parlait toujours d'avoir une maison à nous et d'y couler des jours heureux.

– Lui as-tu parlé de ces jobs dans les relations publiques, de ce qui t'intéressait réellement ?

– Non.

– Je vois. T'es-tu jamais demandé ce qui serait arrivé si tu avais plutôt pris un de ces emplois en relations publiques ?

– Bien sûr. Chaque fois que je m'ennuie ferme, au bureau. Mais un homme doit savoir faire des sacrifices pour nourrir sa famille.

Perplexe, Henry fronça les sourcils.

– Alors, voyons si je te suis bien… Tu as cru savoir ce que Mary voulait sans le lui demander. Rien que pour lui plaire, tu as tourné le dos à tes ambitions et à tes espérances, et renoncé à une carrière plus enthousiasmante… Et ces quatre dernières années, tu as été malheureux dans ta vie professionnelle *et* privée parce que tu n'avais jamais exprimé ce que *toi*, tu voulais réellement ? C'est bien ça ?

– Non, je ne crois pas. Vous noircissez le tableau, je trouve. Écoutez, je venais d'acheter une maison et de me fiancer. Il faut bien accepter des compromis parfois, quand on ne vit pas seul. Qui irait prétendre le contraire ?

Henry ne répondit pas.

Nous arrivâmes devant une barrière métallique qui entourait un vaste plan d'eau circulaire. Tout autour, on entendait les gamins crier et s'ébattre.

Henry sourit.

– J'adore les bateaux tamponneurs !

Nous suivîmes la file d'attente jusqu'à l'entrée. Un petit homme aux cheveux ondulés se tenait devant l'escalier conduisant au bord de la piscine. Il reconnut immédiatement mon compagnon.

– Henry ! s'exclama-t-il d'une voix aiguë. Henry, c'est bien toi ? J'ai entendu dire que tu étais revenu... Viens par ici !

Les deux hommes s'étreignirent.

– Gringalet, peux-tu me faire une faveur ?

– Naturellement ! fit le bonhomme avec enthousiasme. Laquelle ?

– J'ai besoin qu'on fasse des recherches à propos d'une dénommée Mary Higgins. Tu as entendu parler d'elle ?

Gringalet haussa les épaules.

– Jamais, non.

Henry nous regarda tour à tour, Gringalet et moi.

– Eh bien, pourrais-tu prendre soin de mon ami quelque temps ? Ça fait un moment qu'il dérive et qu'il a perdu le nord. D'ailleurs, il n'a jamais vraiment tenu la barre. Pourrais-tu l'aider ?

La métaphore candide d'Henry me prit au dépourvu. Je ressentis de l'embarras mâtiné de colère.

– Et comment !

– Merci, Gringalet ! On se revoit bientôt.

Henry s'éloigna sans mot dire. À peine avait-il fait quelques pas qu'il fut repris par une violente quinte de toux.

Faisant le tour de la piscine, Gringalet et moi regardions les gosses s'amuser comme des petits fous à bord de leurs bateaux tamponneurs.

– Il y a deux sortes d'enfants, commenta Gringalet en se frottant pensivement le menton, comme s'il venait de faire une découverte. Les marins et les girouettes. Les marins, ce sont les gamins qui bondissent à bord d'une embarcation et foncent au large : eux, ce sont les explorateurs. Ils désirent quelque chose et mettent tous leurs moyens en œuvre. Des rêveurs avides d'action, quoi. Ils savent parfaitement où ils vont. Et peu importent les obstacles qui s'interposent, ils atteignent toujours leur but parce qu'ils tiennent bon la barre. Ce sont ceux-là que tu entends crier : « Dégage de mon chemin ! » Les marins savent formuler leurs désirs. Une fois leur but atteint, ils rebroussent chemin et s'en vont éperonner tout le monde. Lorsque j'annonce la fin du tour d'un coup de sifflet, les marins se retrouvent toujours au bord opposé de la piscine par rapport à leur point de départ. Et ils remettent pied à terre avec satisfaction parce qu'ils ont eu ce qu'ils voulaient. Ils ont atteint leur but tout en s'amusant à bousculer les autres.

Parcourant la piscine du regard, Gringalet désigna un petit garçon qui tournait en rond.

– Et il y a les girouettes. Ceux-là, ils *commencent* comme les marins... Eux aussi veulent gagner le large. Mais dès que tout le monde fonce, les girouettes s'avisent qu'il y a du monde dans la piscine, et ils constatent que tenir la barre, c'est vraiment dur. Alors, ils décident de ne pas faire comme tout le monde. Ils se disent ceci : « Dur, dur, de manœuvrer ce bateau sans heurter les autres, je ne vais sûrement pas arriver à traverser tout le bassin. » Ils renoncent facilement. Ils se contentent donc de tourner en rond, histoire de s'amuser de leur côté, tout seuls. Tout de même, il leur arrive de percuter d'autres embarcations. Mais en tout cas, leur comportement, qui ne sert pas leur but initial, dessert également tous les autres. Car en tournant en rond, les girouettes bloquent sans même s'en rendre compte ceux qui veulent aller plus loin. La plupart du temps, ils sont sages. Quand je donne mon coup de sifflet, ils sont toujours les derniers à apponter, presque immanquablement déçus du voyage.

Ayant fini de parler, Gringalet siffla. Les gamins commencèrent à converger vers la sortie. Je remarquai qu'en effet, les « girouettes » étaient les derniers gamins à atteindre la plateforme. Gringalet entreprit d'amarrer les petits bateaux, pendant que les enfants gagnaient la sortie.

– Tu me files un coup de main ? me lança-t-il.

Je retournai de l'autre côté du plan d'eau, aidai les derniers gosses à mettre pied à terre et amarrai également les embarcations.

Gringalet commençant à un bout, moi à un autre, nous finîmes par nous rejoindre. Il vérifia les attaches de mes amarres.

– Tu sais, l'ami, reprit-il d'un ton condescendant, toi, tu es l'exemple même de la girouette.

Dans sa voix, quelque chose m'exaspéra.

– *Quoi* ? Vous ne me connaissez même pas !

– J'en sais assez sur ton compte. J'ai entendu parler de toi. Et j'ai écouté Henry, ajouta-t-il en se penchant pour vérifier un des bateaux que je venais d'amarrer. Tu es une girouette. C'est marqué sur ton front, mon vieux.

– Mais c'est parfaitement injuste, de dire ça ! Vous ne savez strictement rien de moi !

Gringalet se dressa face à moi.

– Ah, non ? Eh bien, je reconnais une girouette quand j'en ai une sous les yeux !

Je faillis lâcher une réplique puérile du style « c'est celui qui le dit qui l'est ».

– Écoutez, je ne vais pas me quereller avec…

– Oh, je m'en doute que vous n'allez pas le faire ! C'est bien pour ça que vous êtes une girouette, pauvre idiot ! Vous ne voulez pas faire de vagues. Alors, admettez-le : vous êtes une girouette !

– Quoi ?

– Admettez-le ! répéta-t-il en avançant vers moi. Ici et maintenant ! Allez !

– Quoi ? Mais c'est ridicule ! Je ne vais pas…

Gringalet se jeta sur moi.

– Girouette ! s'écria-t-il.

Il m'empoigna par la chemise.

Il y eut une brève lutte.

Et nous basculâmes tous deux dans l'eau.

Un voile noir m'enveloppa.

Buvant la tasse, paniqué, je me démenai frénétiquement vers la surface. Dès que j'y parvins, un soleil éclatant m'aveugla. Du regard, je cherchai Gringalet. Volatilisé. Les bateaux tamponneurs aussi. De la pointe des pieds, je sentis que je touchais le fond. Je me redressai, plissant les yeux. Devant moi s'étendait une plage de sable fin. J'avais un goût d'eau de mer dans la bouche.

Bon sang, mais qu'est-ce que... ?

Je reconnus soudain le paysage : un rivage isolé, dans les Iles Vierges. Là où j'avais emmené Mary fêter nos fiançailles.

Un rire familier me parvint... celui de Mary. Levant les yeux vers la plage, je la vis qui flânait avec sa mère, Linda. N'y comprenant rien, je pataugeai pour aller à leur rencontre.

– Mary ? appelai-je.

Ni elle ni Linda n'eurent la plus petite réaction.

Pourtant, elles étaient en train de parler de moi.

– Alors que va-t-il décider ?

– Je ne sais pas, répondit Mary. Il m'a dit ce matin qu'il avait une belle offre pour un poste de directeur commercial. Apparemment, le même genre de job que celui qu'il vient de perdre, mais avec une meilleure paie et plus de responsabilités. La seule chose, c'est que s'il accepte ce poste, il va se retrouver coincé toute la journée dans un bureau, et il devra gérer des questions budgétaires, ce qu'il déteste. Mais apparemment, c'est vraiment une offre alléchante sur le plan financier.

– C'est bien. (Prenant la main de sa fille, elle admira avec ravissement la bague de fiançailles.) Il faut qu'il commence à réfléchir à votre avenir commun. Je sais qu'il vient d'acquérir une maison, mais une fois que vous serez mariés, il en faudra peut-être une plus grande. Peut-être que vous me ferez alors de beaux petits-enfants ? sourit-elle. Il ferait bien d'accepter cette offre. Vous avez besoin de sécurité et de stabilité.

– Oui…, fit Mary, le regard tourné vers l'océan. Ce job paierait vraiment bien. Nous serions à l'abri du besoin. Nous pourrions nous agrandir. Mais non, Maman, pas de petits-enfants tout de suite, ajouta-t-elle avec le sourire. Nous voulons d'abord profiter de notre mariage. Faire des choses ensemble. Voyager, profiter de la vie.

– Raison de plus pour qu'il accepte l'offre. Voyager coûte cher, vous aurez besoin d'argent. Pour le moment, vous vous en sortez à peine tous les deux. Et il est au chômage depuis un mois… Ton travail ne paie pas trop mal, mais tu ne t'enrichiras jamais dans le social. Cette place, c'est une aubaine pour vous deux. C'est très encourageant !

– Oui, j'étais plutôt enthousiaste, quand il m'en a parlé, ce matin. Lui, il semblait vraiment ravi. Il avait en besoin, de cette offre, ça l'a rassuré, dit-elle en contemplant le bleu lumineux de l'océan. Mais au bout du compte, ça ne me plait pas tellement.

– Qu'est-ce qui ne te plait pas ?

– Je sais que ça serait formidable d'un point de vue financier. Mais je ne suis pas certaine que ce travail lui plaise longtemps. Je veux avant tout qu'il soit heureux.

– Allons, ma chérie, c'est un grand garçon ! Il ne va pas prendre un boulot qu'il n'aime pas. Il est futé, il peut faire tout ce qu'il veut. Je suis certaine qu'il est enthousiaste parce que ça vous permettra de prendre un bon départ dans la vie. Comme je le disais, en résumé : une maison, des enfants, la stabilité.

– Oui, mais tout ça ne vaut rien s'il n'est pas heureux. Je ne veux pas le voir rentrer le soir à la maison aussi maussade que papa l'était. Tu te souviens ? Tu te souviens comme son boulot à la banque le rendait malheureux ? Tu te rappelles combien il a changé quand il a lancé sa propre affaire ? Je ne veux pas voir mon mari ramer comme ça. Je me moque bien qu'il ne gagne pas un sou.

– Ma chérie, je ne vois pas pourquoi il se mettrait dans une situation pareille, répondit Linda. Je ne pense pas qu'il vous infligerait ça, à tous les deux. Et puis, vous vous comprenez bien, non ? Il t'aime, et s'il se faisait du souci à ce sujet, il t'en parlerait, tu ne crois pas ? Il a manifestement pris sa décision, et ton rôle, c'est de l'encourager.

Mary sourit.

– Je crois que tu as raison. Je devrais me montrer plus encourageante. S'il avait des doutes, il me le dirait.

Cessant de marcher à leurs côtés, j'éprouvai une sensation de noyade. Tête basse, je flanquai des coups de pied dans le sable.

Quatre années gâchées…

Quand je relevai les yeux, Mary et sa mère avaient disparu.

J'étais seul sur la plage.

Je tournai les talons et m'apprêtai à regagner la route lorsque j'entendis quelqu'un, dans l'eau, qui m'appelait.

– Chéri ! Chéri, viens jouer avec moi !

Je tournai la tête vers la gauche. C'était Mary.

– Allez, mon chéri, viens !

Je scrutai la plage, m'attendant à me voir étendu sur une serviette de plage.

– Mon chéri… ! minauda Mary. Allez, viens jouer !

Je me désignai moi-même, l'air de dire : « *c'est à moi que tu parles ?* »

Elle éclata de rire.

– Mais oui, petit malin ! Viens par ici !

Les larmes me montèrent aux yeux. Entrant dans l'eau, j'avançai à sa rencontre.

Parvenu tout près d'elle, je la dévisageai comme si j'avais un prodige sous les yeux.

– Tu… tu me vois ?

– Ben oui ! s'exclama-t-elle, amusée. Allez, viens jouer avec moi, je suis la damoiselle en détresse…

Je tendis les bras, m'attendant à les voir traverser son corps comme celui d'un fantôme. Mais ce ne fut pas le cas. Je la sentis tout contre moi. L'étreignant de toutes mes forces, je pleurai sans pouvoir me contrôler.

– Ma chérie, oh, comme tu m'as manqué !

Mary ne parut pas remarquer que j'étais en larmes. Elle m'étreignit à son tour en riant, d'humeur taquine.

– Tu te souviens combien nous nous amusions, tous les deux ? Avant que tu ne prennes ce poste ? Tu te rappelles comme notre vie était excitante ? Nous nous amusions toujours, pas vrai ?

– Oui, ma chérie ! m'écriai-je. On s'amusait tout le temps… Tout le temps !

Je la serrais tant que je pouvais.

Et de nouveau, Mary éclata de rire comme si elle ne m'avait pas entendu.

Malicieuse, elle se dégagea et m'éclaboussa.

– Oh, je me noie… Viens me sauver, mon Apollon !

Elle sourit, puis disparut sous l'eau.

Riant moi aussi, je nageai vers elle. Sous la surface, elle me souriait.

Prenant une grande inspiration, je plongeai.

Et tout redevint noir.

Le grand-huit

Je revins à moi à plat ventre, au bord de la piscine des bateaux tamponneurs. Crachant de l'eau, je roulai sur le dos et m'emplis les poumons d'air. Trempé, frigorifié, je perçus des éclats de voix. Je chassai l'eau de mes oreilles.

De l'autre côté de la piscine, Gringalet et un grand type bedonnant aux bras énormes se hurlaient dessus. Les vêtements de Gringalet dégouttaient encore. Le costaud désigna la sortie avec colère. Tête basse, Gringalet s'y dirigea. Quelques secondes plus tard, une nouvelle vague d'enfants apparut sur la plateforme pour sauter à bord des bateaux. Les gamins me jetèrent au passage des regards noirs, comme si j'avais retardé leur divertissement.

Le costaud me rejoignit d'un pas tellement décidé que les outils suspendus à sa ceinture s'entrechoquaient. Je tentai de me redresser, mais j'étais épuisé.

Il s'agenouilla près de moi.

– Ça va ?

– Oui… Que s'est-il passé ?

Lèvres pincées, il foudroya du regard Gringalet qui, de l'autre côté du plan d'eau, détachait les embarcations.

– Eh bien vous avez été victime du complexe d'infériorité de Gringalet. Allons, je vais vous aider à vous relever et à vous sécher avant que vous n'attrapiez froid.

Il me tendit la main. J'hésitai.

– Vous ne risquez rien, vous pouvez me faire confiance. Henry m'a demandé de vous rejoindre ici. On m'appelle Manivelle.

Il m'offrit de nouveau la main, et je remarquai qu'il avait du cambouis sous les ongles.

Il m'aida à me relever. La tête me tournant, je dus prendre appui sur lui pour ne pas m'étaler de tout mon long.

– Allez-y, appuyez-vous sur moi, dit-il.

Lentement, nous gagnâmes la sortie, empruntant l'escalier.

– Eh, girouette ! cria Gringalet dans mon dos.

Je me retournai, et il me lança une serviette à la tête.

– Maintenant, tu vois ce que je voulais dire... Tu n'as pas gardé ton cap parce que tu trouvais la mer un peu démontée. Alors tu es resté à tourner en rond, et ni Mary ni toi n'avez pu atteindre votre objectif : une vie heureuse ensemble.

Avec un sourire satisfait, il se détourna et détacha les amarres d'un autre bateau.

Manivelle et moi étions assis au pied du Cyclone. Les wagons vrombissaient en passant et repassant dans le looping, dont la structure métallique circulaire vibrait bruyamment.

– J'assure depuis longtemps l'entretien de ce manège, dit Manivelle en observant les wagons lancés à pleine vitesse. Je n'ai jamais compris pourquoi les gens l'adoraient autant. Ils montent dans les wagons, qui reculent à mi-hauteur de la boucle, basculent en avant et sont propulsés à mi-hauteur de l'autre côté, retombent avec plus d'élan encore pour remonter de l'autre côté, et redescendent avec juste ce qu'il faut d'énergie cinétique pour atteindre le sommet du looping, où ils restent en suspens quelques secondes, avant que tout ne recommence. La boucle se perpétue ainsi jusqu'à ce que les gens aient le tournis ou la nausée… Ils n'en ont jamais assez ! Ça m'échappe…

Nous gardâmes le silence jusqu'à la fin du tour.

Manivelle se leva.

– Vous pourriez peut-être m'expliquer…

Il sauta de la base du manège et se dirigea vers l'opérateur. Je le vis nous désigner tour à tour, le circuit et moi. L'opérateur pointa alors le doigt vers la file d'attente des gamins. Ils parlèrent encore une minute, et le gars hocha la tête. Se tournant vers les enfants, il leur fit une annonce. Ses paroles furent accueillies par des huées. Il accrocha un panneau : « MANÈGE TEM-PORAIREMENT FERMÉ POUR ENTRETIEN ».

Manivelle revint vers moi avec le sourire.

– Que se passe-t-il ? demandai-je.

– Vos vêtements sont encore mouillés ?

– Oui…

Le sourire de Manivelle s'élargit.

– Alors préparez-vous à un brushing d'enfer !

Je grimpai dans le wagonnet de tête ; Manivelle baissa sur moi la barre, puis le harnais de sécurité.

– Maintenant, je veux juste que vous vous amusiez. Il n'y a pas d'entourloupe ! Vous serez vite sec, et je saurai ce que je voulais savoir. Soyez bien attentif à vos sensations, vous devrez ensuite me les décrire. Prêt ?

– Oui.

Manivelle se tourna vers l'opérateur, et mit les mains en porte-voix.

– En avant ! Hue !

L'opérateur pressa un bouton, et j'entendis, venant d'en bas, une sorte de bourdonnement. Le manège s'ébranla à reculons. Derrière moi, je sentis les autres wagonnets gravir le versant droit du looping. Je commençais à ressentir l'attraction de la gravité quand, émettant un nouveau bourdonnement, les wagonnets repartirent vers l'avant. Je fus ainsi entraîné plusieurs fois d'avant en arrière jusqu'à ce que le train se fixe à mi-hauteur dans la boucle et que je me retrouve quasi face au sol. Puis les wagonnets s'ébranlèrent et le vent fouetta mon visage. Le train fonça, puis ralentit en atteignant le sommet du looping. Je me retrouvai la tête en bas, ne pesant plus rien, simplement retenu sur mon siège par la barre de sécurité. Le sang afflua à mon visage. Puis les wagonnets descendirent de l'autre côté, remontèrent, redescendirent… Les premiers loopings m'insufflèrent une énergie fantastique. Je ressentais l'attraction terrestre, la peur de tomber, le vent qui giflait mon visage et les poussées d'énergie cinétique. Le manège dura quelques minutes. Montée d'un côté, franchissement du sommet la tête à l'envers, descente de l'autre côté... Montée, franchissement, descente... Montée, franchissement, descente... Soudain, mon énergie se transforma en engourdissement. Puis en malaise. Puis, à nouveau, ce fut la torpeur... Montée, franchissement, descente...

Le manège ralentit enfin, j'entendis crisser des freins... C'était fini.

Manivelle releva le harnais de sécurité. Je tenais à peine debout. Amusé, il m'aida à m'extraire de l'auto.

Quelques minutes durant, j'arpentai la passerelle du manège, tentant de reprendre pied. Manivelle marchait à mes côtés. Il ne disait rien mais riait tout bas chaque fois que les gamins poussaient des cris de ravissement en faisant le tour de la boucle. Il m'interrogeait du regard.

– Je ne sais pas quoi vous dire, Manivelle... Pourquoi les gens aiment-ils ça ? Je n'en sais rien. J'ai détesté !

Il rit de bon cœur.

– Moi aussi ! Pourquoi avez-vous détesté ?

Je lui parlai de la torpeur et des nausées.

– Oui, c'est une sale expérience.

Il désigna un banc près de nous. Une fois installé, il changea d'attitude, m'indiquant qu'il était temps de redevenir sérieux.

– Cependant, ça ne doit pas être une découverte, pour vous. D'après Henry, vous êtes coutumier des sales expériences.

Je feignis de n'avoir pas entendu.

– Alors… où est Henry ?

Manivelle regardait les voitures faire des loopings.

– Il fait des vérifications. Règle des affaires. Il ne devrait plus tarder.

Il me fit un coup d'œil rassurant.

– Henry m'a parlé de vous, il m'a expliqué votre situation. Il a pensé qu'il serait judicieux que nous ayons une petite conversation.

Je me sentis gêné.

– Que vous a-t-il dit à mon sujet ?

Manivelle haussa les épaules.

– Tout. Et rien. Assez pour que j'aie la possibilité de vous venir en aide. Je suis plutôt au point sur ce type de questions.

– Quelles questions ?

– Les vôtres. Ce qui fait que vous êtes tellement à côté de vos pompes.

– Ah oui ? Et quel est le problème, alors ?

Manivelle désigna le Cyclone.

– Vous êtes prisonnier d'une boucle négative. Vous n'avez pas réussi à vous en libérer. Ça vous engourdit et ça vous donne la nausée.

Confus, je battis des paupières.

– Navré, je ne vous suis pas. De quoi parlons-nous ? C'est quoi, cette histoire de boucle ?

Manivelle me toisa comme si j'aurais dû le savoir.

– La boucle du silence.

– Du silence ?

– Oui ! dit-il en hochant la tête avec autorité. La boucle du silence. C'est plus en rapport avec votre présent qu'avec votre passé, ça, c'est certain. Le *silence*. C'est une boucle, un type de comportement... C'est comme être coincé perpétuellement dans ce manège. Vous, vous y êtes coincé, vraiment. Et puisque je suis le mécanicien de ce manège... ajouta-t-il en désignant les wagons qui crissaient le long du circuit, Henry a pensé que je pourrais vous aider. Vous êtes d'accord pour en parler ?

J'acquiesçai.

– Vous savez, il y aurait bien des façons de vous l'expliquer. Je ne suis pas aussi doué qu'Henry ou que d'autres guides que vous avez pu croiser jusqu'ici, alors vous devrez être indulgent envers moi.

– D'autres guides ?

Manivelle me jeta un autre coup d'œil éloquent, comme si je devais comprendre de quoi il parlait.

– Oui, les autres guides, insista-t-il. Les gens que vous avez rencontrés dans le parc. Le sorcier, Rude, Gus, Willie, Gringalet, moi... Nous avons tous quelque chose à transmettre, à enseigner... Nous sommes tous là pour vous venir en aide. Ça peut ne pas vous sembler évident, ajouta-t-il avec signe en direction des bateaux tamponneurs, mais nous sommes vraiment là pour vous apporter notre soutien.

Je tournai la tête vers le plan d'eau.

– Oui. Gringalet n'avait pas grand-chose d'un coach...

Manivelle fronça les sourcils.

– Je sais. Croyez-moi, je lui ai drôlement remonté les bretelles après ce qu'il vous a fait. Vous savez, nous pouvons tous choisir la méthode qui nous paraît la plus efficace. Souvent, ces jeunes gars ne sont pas tendres. Henry sera emmerdé. Nous n'avons que deux règles à respecter. Gringalet est allé trop loin.

– Deux règles ?

– Nous n'attentons pas à votre vie, ni à l'amour dans votre vie... Voilà. Pour faire passer son message, Gringalet a failli vous noyer. Henry conviendra qu'il a vraiment dépassé les bornes. Henry et moi sommes de la vieille école. Nous deux, nous réglons tout par la parole.

Manivelle secoua la tête, comme s'il en avait trop dit.

– Mais revenons-en à vous. À votre boucle et au moyen de la briser. Savez-vous de quoi je parle quand je fais allusion à la boucle du silence ?

Je repensai à Mary et à Linda, en grande conversation sur la plage.

– Vous faites allusion au fait que j'ai tu mes doutes à Mary ?

– Par exemple. Mais ça va plus loin. Permettez que je vous pose quelques questions. Vous est-il jamais arrivé de vous confier, au sujet des mauvais traitements que votre père vous infligeait ?

Une sensation amère me saisit aux tripes.

– Non.

– Vous êtes-vous jamais confié à quiconque, au sujet de la mort de votre grand-père ?

– Hum... non.

– Vous êtes-vous jamais confié à quiconque, au sujet de votre licenciement ?

– Pas vraiment.

– Avez-vous jamais exprimé vos doutes à Mary, à propos de votre nouvel emploi ?

– Non.

– Avez-vous jamais parlé à vos nouveaux collègues de quelques-unes de vos idées innovantes ?

– Non.

– Vous êtes-vous jamais confié à quiconque, à propos du départ de Mary ?

Je secouai la tête.

– Alors, voilà : vous comprenez mieux de quoi je parle, n'est-ce pas ? C'est la boucle du silence. Vous avez vécu toute votre vie en intériorisant vos sentiments, en gardant pour vous vos réflexions, vos soucis, vos rêves, vos cauchemars. C'est toujours la même histoire : « *Je ne veux pas imposer mon univers à qui que ce soit… Je ne veux pas être un boulet pour autrui.* »

« La voilà, la vérité… Si vous restez prisonnier de cette boucle, si vous ne commencez pas enfin à crier au monde entier ce que vous ressentez et ce que vous désirez, vous resterez fixé sur un rail, dans ce manège qui vous paralyse et vous flanque la nausée. Le seul moyen de rompre cette boucle infernale, c'est de comprendre comment tout cela a pu commencer, de ralentir la boucle et de l'arrêter.

– Je ne suis pas sûr de savoir comment.

Manivelle sourit.

– C'est pour ça que je suis là, moi, le mécanicien. Pour vous remettre sur le bon rail. Parlons boutique une seconde, voulez-vous ? Je crois pouvoir vous sortir de là.

Vous vous rappelez le manège ? ajouta-t-il en désignant le Cyclone. Eh bien, permettez que je vous explique son fonctionnement : tout repose sur l'énergie cinétique. Une première décharge d'énergie met les wagons en branle, ce qui émet le bourdonnement que vous avez entendu. Ensuite, c'est l'élan qui prend le relais. Les wagonnets font le tour du circuit poussés par les décharges d'énergie, l'élan et le chemin de moindre résistance. Poussez quelque chose sur le chemin de moindre résistance et cette chose roulera indéfiniment.

Manivelle me jeta un regard intense.

– Savez-vous quelle source d'énergie a initié votre boucle du silence ?

– Mon père.

– Les mauvais traitements ?

– Oui.

– Bon, la cause n'est pas si importante en soi. Et grâce à vos premières expériences au parc, vous savez que vous ne pouvez pas reprocher à votre père l'élan que vous avez acquis dans ce cercle infernal. Vous avez délibérément choisi de ne pas vous exprimer. De garder le silence. Vous avez sciemment opté pour le chemin de moindre résistance. Vous êtes d'accord ?

– Admettons.

– Il n'y a pas de « admettons » qui tienne ! me reprit Manivelle avec fermeté. Dans la vie, le chemin de moindre résistance, c'est toujours le silence. Si vous n'exprimez pas vos sentiments ni vos pensées, vous ne vous exposez pas aux réactions des autres. Vous n'avez pas à vous sentir vulnérable ni à risquer d'être rejeté.

Mais sachez une chose : cette façon de faire vous conduit au même point que ce manège, dit-il, désignant de nouveau le looping, que parcouraient les wagonnets. Nulle part.

Me prenant par l'épaule, il pointa du doigt les wagonnets.

– Laissez-moi vous poser une autre question : ce manège-là ne vous *fatigue*-t-il pas ? N'en avez-vous pas assez de la torpeur et des nausées ?

– Si.

– Alors à vous d'interrompre la boucle. Cessez de mettre votre énergie à ce type de comportement. Vous devez *refuser* le chemin de moindre résistance, mettre un frein à ce genre d'élan, ou vous continuerez indéfiniment à tourner en rond dans le même manège. Il est grand temps que vous commenciez à manifester votre ressenti et votre volonté. Cela vous permettra de boucler la boucle. Et il n'est pas question de ne vous exprimer que de temps à autre. Désormais, c'est tout le temps, que vous devrez le faire. Vous devez prendre un nouvel élan, et alors, plus rien ne vous arrêtera. Commencez par briser cette boucle de silence et de souffrance, et initiez-en une nouvelle, en clamant au monde entier ce que vous ressentez et ce que vous voulez. De cette manière seulement vous vivrez enfin la vie à laquelle vous aspirez. Pigé ?

– Mais… et si j'ignore ce que je veux ?

Manivelle se leva.

– Eh bien… Vous êtes-vous jamais demandé de quoi l'avenir serait fait ?

La diseuse de bonne aventure

Manivelle m'entraîna au-delà des bateaux tamponneurs et nous longeâmes de nouveau la ménagerie et le Grand Chapiteau. Je remarquai que la foule s'était dispersée.

– Où sont passés les gens ?

Manivelle désigna le Grand Chapiteau.

– La principale attraction nocturne débute dans environ deux heures. Les visiteurs sont certainement dans l'allée centrale, pour manger un morceau. Ils veulent être les premiers dans la file d'attente pour le grand spectacle.

Aux abords des cages, j'avisai Henry, en pleine discussion avec Gus.

– Eh, Henry ! criai-je de loin.

Le revoir me faisait du bien.

Hochant la tête, Henry donna l'accolade à Gus puis vint vers nous, le sourire aux lèvres.

– Comment ça va ? me demanda-t-il d'un ton chaleureux.

J'eus presque de la peine à répondre tant il me parut avoir encore pâli. Il gardait un regard pétillant, mais il était visiblement épuisé.

– Je… ça va, Henry. Et vous ? Vous ne m'avez pas l'air bien.

Il me fit un large sourire.

– Ta sollicitude me va droit au cœur ! s'esclaffa-t-il, avant de tousser. Ça va, ça va… Ne t'inquiète pas pour le vieux bonhomme. Manivelle, où alliez-vous ?

– Je l'emmenais voir Meg, répondit le mécanicien.

– Ah bon ? s'étonna Henry. Eh bien, espérons qu'elle saura se tenir… Tu sais comment elle peut être… Écoute, fit-il à mon attention, quand tu auras vu Meg, rejoins-moi à l'entrée du Grand Chapiteau, d'accord ?

– D'accord. Qui est donc Meg ? Et vous, où allez-vous ?

– Tu vas très vite faire sa connaissance. J'ai quelques affaires à régler. Allez-y, maintenant. On se retrouve au Grand Chapiteau.

Passées les cages, Manivelle et moi tournâmes à gauche. L'arrière du Grand Chapiteau se trouvait maintenant sur notre gauche, et un long alignement de petites tentes s'étirait sur notre droite. Manivelle me guida vers l'une d'elles, au centre, où une enseigne bricolée annonçait : « VOTRE AVENIR RÉVÉLÉ POUR 1$ »

– Ce n'est pas une mauvaise affaire, plaisantai-je.

– Heureux que vous le preniez comme ça.

Manivelle jeta par-dessus son épaule un coup d'œil à l'arrière du Grand Chapiteau.

– N'oubliez pas ensuite votre rendez-vous avec Henry, de l'autre côté. Ne vous égarez pas. J'ai été ravi de faire votre connaissance.

– Merci, Manivelle. Moi de même. J'ai vraiment apprécié ce que vous m'avez dit.

– Bien. Prenez soin de vous.

Il me fit signe d'entrer sous la tente, puis rebroussa chemin en direction des animaux en cage.

Sous la tente, l'air était saturé d'encens. Six bougies allumées décoraient une petite table basse noire, dressée près d'un siège. Un peu plus loin pendait une tenture en velours rouge.

– Prenez place, m'invita une voix fluette désincarnée, derrière la tenture. Je suis à vous tout de suite.

Je pris place. Quelques minutes s'écoulèrent. J'entendis quelqu'un sangloter.

La tenture livra passage à Rude l'Hypnotiseur. Il eut un mouvement de surprise, puis me fixa d'un regard sinistre avant de se diriger vers la sortie.

– J'espère que tu en vaux la peine, gamin.

Alors que le rideau de la tente retombait sur ses talons, la voix désincarnée, derrière la tenture, résonna encore.

– Venez. Nous n'avons pas toute la nuit.

Repoussant le velours rouge, je découvris une femme drapée dans une robe pourpre dépenaillée, assise à une petite table ronde. Elle avait le visage tanné par les années. Ses cheveux gris étaient couverts d'un fichu rouge délavé et des créoles d'argent pendaient de ses oreilles. Au centre de la table trônait une boule de cristal. Un nuage d'encens planait autour de nous.

– Asseyez-vous, fit la maîtresse des lieux en me toisant. Je suis Meg. Et vous, vous êtes celui dont tout le monde parle.

– Dont tout le monde parle ?

Me jetant un regard interrogateur, elle tendit la main.

– Navrée, mais on ne me fait pas causer si on n'a pas payé.

– Oh, fis-je, embarrassé, fouillant ma poche pour y pêcher un dollar. Voilà pour vous.

M'arrachant le billet des mains, elle le fourra dans une petite bourse qu'elle portait autour du cou.

– Maintenant, reprit-elle, satisfaite, que voulez-vous savoir ?

– Vous venez de m'appeler « celui dont tout le monde parle ». Qu'est-ce que cela veut dire ?

– Je suis une diseuse de bonne aventure, pas une commère, répliqua-t-elle avec agacement.

Se levant, elle ralluma un bâton d'encens.

– Bon, bon, fis-je, perplexe. Alors que sommes-nous censés faire ? Scruter la boule de cristal et prédire mon avenir ?

– Non, ricana-t-elle. Vous regardez trop de films.

Se rasseyant, elle désigna la boule.

– J'ai dégoté ce truc idiot pour deux dollars au marché aux puces. C'est un bocal à poissons tourné à l'envers.

Devant la mine que je faisais, elle éclata de rire.

– Dieu, ce que vous êtes sérieux. Exactement comme Rude !

Ce que je venais de surprendre me revint à l'esprit.

– Rude... Je l'ai entendu pleurer tandis que je patientais... Les nouvelles ne devaient pas être bonnes, j'imagine...

– Certes, lâcha-t-elle.

J'inclinai la tête.

– Alors, puis-je demander ce que c'était ? Ou verserait-on encore dans les commérages ?

– Vous pouvez demander, naturellement ! C'est en rapport avec votre avenir. C'est à ce sujet que Rude me questionnait.

– Rude vous questionnait sur mon avenir ? Pourquoi donc ?

– Il voulait savoir si vous changeriez avec le temps. Il a dit que vous n'aviez que des excuses à la bouche. Et il craignait que vous ne puissiez jamais évoluer.

Je revis en un éclair Rude debout au-dessus de moi… et la colère me submergea à nouveau.

– Que lui importe que je change ou pas ?

– Oh ! s'exclama-t-elle, les mains sur les joues, feignant la surprise. Ne vous mettez pas dans cet état, mon enfant ! Je doute que vous comptiez *à ce point* à ses yeux… En revanche, il tient beaucoup à Henry. Voilà pourquoi il pleurait.

– Les mauvaises nouvelles… c'était pour Henry ?

– Oui. Pour Henry… et vous.

– De mauvaises nouvelles pour nous deux ? De quoi s'agit-il ?

Penchée vers moi, accoudée à la table, Meg déclara tout naturellement :

– La mauvaise nouvelle, c'est que vous ne changerez pas.

– Comment ça, je ne changerai pas ! m'exclamai-je,

repensant à tout ce que je venais de vivre dans ce parc.
Je n'y crois pas !

Meg me lança un regard impassible.

– Que vous le croyiez ou non n'a aucune espèce
d'importance. C'est ainsi. Et ce sont de mauvaises nouvelles pour vous deux. Voilà pourquoi Rude pleurait. Il
venait d'apprendre, pour Henry…

– Je ne comprends pas. D'apprendre quoi, pour
Henry ? En quoi ça le concerne ?

– Il veut naturellement vous voir changer. Il s'est
sacrifié pour que vous puissiez entrer et il compte sur
votre réussite.

– Comment ça « il s'est sacrifié » ? Que voulez-vous
dire ? Quel sacrifice ?

– Je regrette, mais ce n'est pas à moi de vous l'expliquer. Henry s'en chargera en temps voulu. À moins
que Rude ne lui annonce le premier la mauvaise nouvelle.

Je la dévisageai, incrédule.

– Que vouliez-vous dire en affirmant que je n'allais
pas changer ? Écoutez, madame, vous vous trompez.
J'ai *déjà* changé. Et à la seconde où je remettrai les
pieds chez moi, ma vie tout entière changera, croyez-
moi ! Ne vous en faites pas pour ça. Henry non plus n'a
aucune inquiétude à avoir.

Comme impressionnée, sourcil haussé, Meg hocha
la tête.

– Oh, c'est formidable, mon cher.

Puis elle me dévisagea en silence, longuement.

Un moment s'écoula, embarrassant.

– Donc, repris-je, un peu déconcerté, vous ne croyez pas que je puisse changer ?

– Je sais que vous en êtes incapable.

– Comment le savez-vous ? Pourquoi ne pourrais-je pas changer ?

– Laissez-moi voir vos mains.

Elle scruta attentivement mes paumes quelques instants puis releva vers moi un regard attristé, serrant mes mains dans les siennes.

– Eh oui, j'avais raison… Mauvaises nouvelles.

– Quoi ? Que pouvez-vous dire rien qu'en regardant mes mains ? Que voyez-vous ?

– Voyez par vous-même, répondit-elle en plaquant mes doigts sur la boule de cristal.

Une décharge d'électricité me tétanisa. J'eus soudain l'impression d'avoir les yeux en feu. Les poils de ma nuque se hérissèrent. Mes muscles se contractèrent spasmodiquement, tandis qu'un rugissement assourdissant résonnait dans mes oreilles.

Mon champ de vision fut envahi de blanc. Et ce fut la chute… vertigineuse, rapide… L'espace vira au vert… plus vite… au jaune… plus vite… à l'orange… encore plus vite… au noir… Un arrêt brutal.

Un éclair blanc…

J'ai l'impression de flotter. Je rouvre les yeux. Je suis à l'église. Je vois tout, autour de moi. Je me sens planer au-dessus de la paroisse, mais je ne sens pas mon corps. Je vois des fidèles en pleurs, puis un officiant, à l'autel. Alors je me découvre… allongé dans un cercueil.

Une autre décharge d'électricité…

Je plane au-dessus de mon bureau, à présent. Je me vois assis, à contempler le paysage par la fenêtre. Je suis plus vieux. Mes pattes grisonnent sur mes joues. Mon visage est couvert de rides. Je me retrouve un peu plus tard, et je me vois marcher dans le hall, passant devant mes collègues sans desserrer les lèvres. J'assiste à des conférences dont l'ordre du jour m'indiffère souverainement... Je réponds aux courriels... Je rentre en voiture à la maison... Je regarde la télé... Je bois de la bière... Je suis seul.

Un nouvel électrochoc.

De retour à l'église, je plane au-dessus des bancs... Je regarde ma propre dépouille, au fond du cercueil. Près de l'autel, un étranger se tient devant l'estrade.

– C'était quelqu'un de bien. Je venais juste de le rencontrer. Il travaillait dans notre compagnie depuis trente-cinq ans. C'était un homme loyal, très réservé... Ceux qui le connaissaient paraissaient l'apprécier...

Une fidèle assise dans les rangs souffle à sa voisine :

– Le pauvre est mort tout seul...

– Quelqu'un aimerait dire quelques mots ? demande le pasteur, devant l'estrade.

Personne ne se lève.

Les yeux me brûlent ; des scènes de ma vie défilent par éclairs. Le dernier soupir que j'exhale sur mon lit de mort... un Noël en solitaire... un jour banal au bureau... une nuit dans un hôpital avec Mary... une autre sur ma véranda... une balade à cheval dans un champ... un aquarium rempli de cintres...

Zap ! Je plane dans une pièce... Mary, silencieuse... Je me vois, non loin d'elle, dans la cuisine. Elle a les larmes aux yeux. Elle me regarde, très sérieuse.

– *Je crois que j'ai besoin de m'éloigner pour le week-end. J'allais te demander de m'accompagner. Mais... je ne pense pas que tu sois prêt.*

Je m'entends lui poser une question, alors que je ne vois que son visage.

– *Où vas-tu ? Je ne suis pas prêt à quoi ?*

– Au changement.

Et sur ces mots, elle passe la porte.

Je me sens hurler : « Non ! »

Mes mains brûlent...

Une autre décharge d'électricité... Un fantastique éclair blanc...

Je me sentis percuter le dossier de ma chaise.

Je rouvris les yeux. Imperturbable, Meg siégeait toujours devant moi, accoudée à la petite table ronde. Une lueur violacée émanait de la boule de cristal.

– *Bon Dieu !* m'écriai-je en secouant vivement les mains pour tenter de les rafraîchir.

– Non, moi, c'est Meg, répondit-elle avec à-propos. Je reviens dans un petit instant, ajouta-t-elle en se levant.

Repoussant la tenture, elle quitta la pièce.

Le temps que Meg revienne, mes mains devinrent tout engourdies, comme si je les avais fourrées dans la neige avant d'entrer dans une pièce chaude.

– Je n'y crois pas ! affirmai-je avec emphase alors qu'elle se rasseyait. Je ne laisserai pas ma vie prendre ce genre de tournure ! Ce que j'ai vu, je n'y crois pas.

Elle secoua la tête.

– Vous êtes exactement comme Mary. Vous ne croyez pas à ce que votre propre âme vous montre.

– Quoi ? m'exclamai-je, surpris. Mary ? Vous l'avez rencontrée ?

– Naturellement.

Mon cœur bondit dans ma poitrine.

– Ici ?

La bouche entrouverte, Meg plissa le front comme pour dire, « *Oui, vous êtes stupide ou quoi… ?* »

– Que s'est-il passé ? Que faisait-elle là ? Que lui avez-vous dit ? Savez-vous ce qui lui est arrivé ?

Les questions se bousculaient si rapidement sur mes lèvres qu'elles se fondaient les unes dans les autres.

Meg avait un regard absent.

– Elle est venue là pour la même raison que Rude. Elle voulait savoir si vous changeriez. Elle a découvert que non.

– Mais c'est faux ! m'écriai-je, la poitrine serrée par la douleur, la colère et le ressentiment. Comment pouviez-vous dire ça ? Je *changerai* ! Comment avez-vous pu lui affirmer le contraire ? Qu'a-t-elle répondu ?

– Je ne lui ai rien dit. Elle a vu ce qu'elle avait besoin de voir. Puis elle m'a demandé si elle devrait vous quitter.

– Si elle devrait me *quitter* ? Qu'avez-vous dit ?

Meg darda sur moi un regard glacial.

– Je lui ai répondu par l'affirmative.

– Quoi ! Comment avez-vous pu ! Pour qui vous prenez-vous ?

Je me levai d'un bond, comme sur le point de me jeter sur elle.

Se levant à son tour, Meg désigna mon siège.

— Asseyez-vous !

Sa voix autoritaire se répercuta dans chaque cellule de mon corps.

Sur le point de fondre en larmes, je m'effondrai sur ma chaise. Je ne pouvais presque plus respirer. Je me sentais comme enfermé dans un cercueil. Le monde venait de s'écrouler sur moi.

— *Pourquoi* ? laissai-je échapper, le visage enfoui au creux des mains. Pourquoi lui avez-vous dit ça ? Ignoriez-vous à quel point ça pouvait la blesser ? J'aurais pu changer ! Pourquoi refusez-vous d'y croire ?

— Parce que vous ne savez pas ce que vous voulez faire de votre vie, répondit-elle en chuchotant. Et si vous ne savez pas ce que vous voulez, comment pourriez-vous évoluer d'un point à un autre ? Aucun objectif ne vous guide, aucun défi ne vous stimule. Vous n'avez rien à quoi vous mesurer. Peu importe que vous ayez ferraillé avec votre cher vieux papa, que vous ayez chevauché en compagnie de grand-maman ou que vous ayez nagé dans le grand bleu avec Mary... Peut-être acceptez-vous mieux le passé, peut-être acceptez-vous mieux l'homme que vous êtes, mais n'allez pas croire que votre vie en est trans-figurée pour autant. Ici et maintenant, nous parlons de l'avenir. Vous devez savoir où vous voulez aller et changer de cap en conséquence... ou vous irez à la dérive.

Marquant une pause, Meg attendit que je relève les yeux vers elle, pleine de compassion.

– J'ai dit à Mary que vous étiez quelqu'un qui se laisse aller. Et que vous le seriez toujours.

J'eus le cœur brisé. De colère, une grosse boule se noua dans ma gorge. J'ouvris la bouche pour donner libre cours à mon exaspération. Mais pas un mot ne sortit.

– Je suis navrée, conclut Meg. Mais si vous ne décidez pas de ce que vous attendez de la vie, vous n'avez aucune chance de changer de cap. Pas de buts, pas d'épanouissement. Pas de clarté, pas de changement. Désolée.

Mouchant le bâton d'encens, elle me tapota l'épaule et ressortit.

Quatrième partie

La corde raide

Je restai assis sans réaction sous la tente de Meg pendant près d'une heure, me repassant en boucle tout ce qu'elle venait de dire, et tout ce que j'avais vu dans la boule de cristal. Je commençais à réaliser que j'avais passé quasiment ma vie entière figé dans le passé, ou paralysé par le présent. Je n'avais jamais rien envisagé sur le long terme. Pas plus que je n'avais réfléchi aux derniers jours de mon existence, à la personne que je voudrais être ou à ce que j'aimerais accomplir. Les paroles de Mary et de Meg tourbillonnaient dans ma tête. *Tu n'es pas prêt au changement... Pas de clarté, pas de changement...* Vous êtes quelqu'un qui se laisse aller... Je continuais de trouver blessantes les paroles de Meg. J'avais le cœur lourd de chagrin à la pensée de Mary, occupant la même chaise que moi pour découvrir l'avenir, un avenir dans lequel je ne changerais jamais. J'imaginais le chagrin qu'elle aussi avait dû éprouver, la désillusion, la frustration, la désespérance... Tout ce que j'avais ressenti en planant au-dessus de ma propre vie, et en voyant la tournure que les choses avaient prise...

Au bout d'un moment, la tristesse céda la place au calme. Comment interpréter les propos de Meg, ou ce qu'elle m'avait montré ? Je n'étais sûr de rien. Mais je ne resterais pas sans rien faire. Les yeux rivés à la boule de cristal, je décidai de défier la sentence.

Je ne finirai pas de cette façon-là !

D'un revers de main, j'expédiai la boule contre la paroi. Elle tomba avec un son mat. Je la ramassai, et ne pus en croire mes yeux. Du plastique ! Meg m'avait dit la vérité. C'était réellement un bocal à poissons bon marché posé sur la table à l'envers. Je le tournai et le retournai entre mes mains.

Derrière moi, la tenture rouge s'ouvrit, et Henry entra dans la tente, fixant la chaise vide de Meg, puis moi.

– Que se passe-t-il ici ? Tout va bien ? Où est Meg ?

L'inquiétude soulignait encore sa pâleur inhabituelle.

– Elle est partie, répondis-je.

Il fronça les sourcils.

– Comment ça, « partie » ?

– Elle s'est levée et elle est sortie.

Henry se gratta la tête.

– Pourquoi irait-elle… bon, tu es sûr que ça va ?

– Oui… Enfin, je pense… J'ai de nouvelles perspectives.

– Génial ! Alors, Meg a été gentille avec toi ?

Je pris le temps de réfléchir à la question.

– Non, Henry. Elle m'a montré certaines choses qui m'ont vraiment brisé le cœur. Je ne sais plus trop quoi en penser. Peut-être fallait-il que je voie tout ça pour changer ? Je l'ignore. Je suis perplexe. Mais vous savez quoi ? Je ne laisserai pas ma propre vie se terminer ainsi.

Perdu dans ses pensées, Henry contemplait le siège vide. Il reprit finalement la parole :

– Je ne comprends pas cette femme. Elle sait pourtant qu'il ne faut jamais laisser les gens seuls. Si on en parlait en chemin ? dit-il après un instant.

– En chemin ?

– Pour le spectacle… Tu te rappelles ? Tu étais censé me retrouver au Grand Chapiteau.

L'entrée du Grand Chapiteau grouillait de visiteurs bienheureux. Tout le monde se mélangeait, bavardait, mangeait, guettant l'ouverture pour courir s'emparer des bonnes places. L'excitation ambiante m'encouragea à parler à Henry de mon avenir, de la certitude que je ferais l'impossible pour empêcher que ma vie prenne le vilain tour que Meg m'avait prédit. Les idées, les espoirs et les rêves que m'inspirait cette nouvelle existence se bousculaient dans ma tête, au point que je n'arrivais pas à tout dire. Je lui expliquai comment je me proposais d'appliquer concrètement tout ce que je venais d'apprendre dans le parc. Je promis de ne plus jamais vivre dans le passé, ni de me laisser embourber par ce qui ne me passionnait pas. Je lui dis que jamais je ne finirais seul face à la mort. Je parlai d'amour, de passion, de famille, de foi… J'ignore si c'était en réaction à Meg ou si j'avais retrouvé le feu sacré de mes vieilles ambitions, mais quoi qu'il en soit, je jurai de recommencer ma vie, et d'en faire une belle aventure.

À un moment, je me fis l'effet d'un gosse dans un magasin de jouets, qui parle sans trêve à un parent qui fait la sourde oreille. Henry m'écoutait, mais sans être vraiment attentif. Il luttait avec les gens pour me faire traverser. L'entrée était gardée par deux costauds en chemise bleue à imprimé jaune « SÉCURITÉ ». En apercevant Henry, ils sourirent, et l'un d'eux souleva pour nous l'énorme rabat. La foule clama son excitation. Bras croisés, le second agent de sécurité lança :

– Pas encore, messieurs dames, pas encore !

Mon guide et moi entrâmes sous les huées de la foule.

– Henry, fis-je sur le ton d'un gamin qui se plaint, avez-vous entendu ce que je viens de vous dire ? Je vais *changer* !

Du regard, je quêtai ses encouragements.

Il se contenta de hocher la tête.

– Je suis ravi que tu sois enthousiaste à l'idée de changer. Mais laisse-moi te demander quelque chose que je t'ai déjà demandé auparavant : t'est-il déjà arrivé d'être excité à l'idée de changer de vie, mais de n'avoir finalement rien fait ?

J'eus l'impression de prendre une douche froide.

– Oui, mais… Henry, c'est différent. Je…

– Je sais, c'est différent, m'interrompit-il. Tout cela te transporte, et ta volonté de changer me remplit de joie. Mais je sais également que tu as déjà eu des rêves, et que tu les as déjà laissés s'étioler. Il t'est déjà arrivé d'espérer, mais jamais tu n'as bondi hors du lit pour faire de ces espoirs une réalité. Je suis content pour toi, et je ne désire nullement dénigrer tes bonnes intentions. Mais tu as encore des choses à apprendre avant d'être en mesure d'évoluer véritablement. Voilà pourquoi nous sommes ici. Je veux que tu apprennes auprès des meilleurs. Suis moi.

Il m'entraîna le long de la piste d'entrée, qui mesurait trois ou quatre mètres de large, bordée par deux travées deux fois plus hautes que les gradins. Du bout de cette piste, on mesurait véritablement l'immensité du chapiteau. Les gradins s'alignaient le long des hautes parois en toile et au centre se trouvait une arène qui faisait le diamètre d'un terrain de football contenait trois énormes anneaux rouges entrelacés. Celui du milieu mesurait une fois et demi la taille des deux autres. Bien au-dessus, un réseau de cordages reliait les dizaines de hautes tours métalliques qui composaient l'infrastructure du chapiteau. Le vaste châssis du système d'éclairage pendait des cordages, juste au-dessus des anneaux droit et gauche, de sorte que l'ensemble avait des airs de salle de concert high-tech.

– Sympa, hein ? fit Henry.

Nous parcourûmes environ un tiers du chemin en contournant les anneaux de la piste, puis longeâmes le bas-côté, entre deux rangées de gradins. Au bout, deux autres agents de sécurité nous accueillirent. L'un d'eux serra la main d'Henry. L'autre me sourit et souleva le rabat.

Comme il allait parler, les émetteurs-récepteurs des deux agents grésillèrent.

– Tenez-vous prêts ! Nous ouvrons les portes !

Nous pivotâmes tous les quatre en direction de l'entrée, où une marée humaine commençait à affluer.

L'agent qui avait soulevé le rabat nous regarda tour à tour, Henry et moi.

– Vous feriez mieux de vous trouver des places.

Hochant la tête, Henry me fit passer devant lui.

De l'autre côté, une scène de chaos s'offrit à nous. Les artistes achevaient leurs préparatifs dans la plus grande urgence : les clowns étaient à moitié habillés, les trapézistes se précipitaient et les assistants couraient dans tous les sens, maquillant les artistes ou les aidant à revêtir leurs costumes. Dans l'affolement général, tous réclamaient de l'aide.

– Avant l'ouverture du spectacle, commenta Henry, c'est toujours la folie…

– Je vois…, murmurai-je.

Henry me fit longer une longue suite de miroirs bordés de projecteurs. S'arrêtant au premier tabouret vide devant l'un d'eux, il me dit :

– Assieds-toi là, je reviens de suite.

Sagement assis, je regardai les artistes se préparer pendant environ vingt minutes. Puis, de l'autre côté de la toile, monta une immense clameur. J'entendis une annonce assourdie.

– C'est à nous ! brailla un clown, et ils furent une douzaine à passer de l'autre côté, où régnait un boucan incroyable.

Dix minutes s'écoulèrent, puis une autre annonce inaudible retentit. Un groupe de gymnastes disparut alors sous la toile. Un grondement s'élevait de la foule.

Après dix autres minutes, ponctuées par des applaudissements sporadiques, il y eut de nouvelles annonces,
et quatre femmes portant des dizaines de cerceaux
argentés entrèrent en scène.

– C'est lui, là !

Levant la tête, je vis une artiste au justaucorps
pailleté me montrer du doigt à un homme en maillot
blanc moulant et en tunique pailletée tout aussi ajus-
tée. Celui-ci avança vers moi et se présenta avec un fort
accent italien :

– Je suis Berto Zanzinni.

Lui serrant la main, je le regardai, l'air de dire :
« *Ravi de vous rencontrer… Mais pourquoi vous adressez-
vous à moi ?* »

Berto fronça les sourcils.

– Vous ignorez qui je suis ?

– Désolé, je n'en sais rien. J'attends juste mon ami
Henry.

– Oui, je suis au courant. C'est lui qui m'envoie. Je
suis Berto… Berto, insista-t-il avec un soupçon de frustration. Berto Zanzinni, des mondialement célèbres
Zanzinni Volants !

Il me sourit comme si j'allais mettre un genou à
terre devant Sa Majesté.

Je le regardai sans comprendre.

– Henry ne vous a pas dit que nous devions nous voir ?

– Non.

Amusé, Berto me flanqua une bourrade à l'épaule.
Il héla la jeune femme qui venait d'attirer son attention
sur moi.

– Luisa, viens par ici, ma chérie ! Tu vas adorer ! Amène Antonelli aussi !

La dénommée Luisa s'éclipsa derrière une tenture, reparaissant avec un inconnu qui devait être Antonelli. Elle vint enlacer Berto, tandis qu'Antonelli me regardait des pieds à la tête.

– Luisa, Antonelli, notre volontaire, ici présent, ignore qu'il est volontaire… Henry ne lui a rien dit !

– Rien *de rien* ? s'exclama Luisa, son beau visage ovale rayonnant. Oh, Berto ! On va bien s'amuser ce soir...

Elle eut un rire extravagant.

Antonelli ne souffla mot.

Je les observai, plein d'appréhension.

– Henry ne m'a rien dit sur quoi ? Comment ça, « volontaire » ? Que se passe-t'… ?

– Quelle taille faites-vous, l'ami ? m'interrompit Berto.

– Quoi ?

– Votre tour de taille ? Du XL ou du XXL ? Vous devez peser dans les quatre-vingt-cinq kilos à vue de nez… Je me trompe ?

– Non, c'est à peu près ça. Pourquoi ?

Tournant les talons, Berto et Antonelli s'éloignèrent.

Luisa me sourit.

– Parce que nous devons vous habiller et vous préparer, quelle question !

– Me préparer à quoi ?

Craignant de connaître la réponse, j'étais terrifié.

QUATRIÈME PARTIE : LA CORDE RAIDE

– Au spectacle ! À marcher dans les airs aux côtés des mondialement célèbres Zanzinni ! chantonna-t-elle avant de s'éloigner à son tour.

– Enlevez votre pantalon ! ordonna Luisa.

Souriant, elle me tendit une tunique à paillettes et un collant blanc, puis me poussa derrière une tenture.

Paralysé de terreur, je me retrouvai dans les loges. *Quelle mouche piquait Henry ?*

– Vite ! me cria Luisa.

Je passai le costume et me regardai dans le miroir. J'étais pathétique, trois fois trop grand pour cette tenue qui me donnait l'air godiche.

Le rideau se souleva, et je vis reparaître Antonelli qui me saisit par le bras.

– Allez, c'est notre tour !

Quittant les loges des artistes, nous longeâmes le bas-côté, entre les gradins.

Dans la salle, il n'y avait plus un seul siège de libre.

Antonelli m'entraîna vers l'anneau central. Quelqu'un m'attrapa encore par le bras... Henry. Il m'attira près de lui.

– Fais ce qu'ils te diront. Tu veux prouver que tu es apte à changer ? Alors, fais ce qu'ils te diront.

Je le regardais, terrorisé.

Antonelli me reprit en main.

– Et amuse-toi bien ! lança Henry derrière nous.

Un projecteur se fixa sur Berto et Luisa, en face de nous. Une autre lumière nous éclaira, Antonelli et moi.

Au centre de l'anneau, Monsieur Loyal, vêtu d'un fuseau blanc et d'un veston rouge boutonné d'or, et

233

muni d'un haut-de-forme et d'une canne noirs, annonça avec emphase :

– Mesdames et messieurs, voici enfin venir les mondialement célèbres Zanzinni Volants !

Le public répondit par un tonnerre d'applaudissements, tandis que Berto et Luisa rejoignaient Monsieur Loyal.

Antonelli m'entraîna au pied d'une haute tourelle métallique qui bordait l'anneau central.

– Préparez-vous à sourire, me glissa-t-il.

Berto s'empara du micro de Monsieur Loyal.

– Mesdames et messieurs, ce soir, vous allez nous voir voler !

Il y eut une nouvelle salve de bravos.

– Nous allons accomplir sous vos yeux des voltiges trompe-la-mort au trapèze et aux barres. Et rien que pour vous, exceptionnellement ce soir, nous vous réservons une surprise très spéciale. Mais je laisse à ma ravissante sœur le soin de vous en dire plus !

Il tendit le micro à Luisa.

– Oui, mesdames et messieurs, nous avons une magnifique surprise pour vous ! Ce soir, nous avons choisi quelqu'un, dans le public, pour vous offrir un superbe numéro ! Cette personne désignée parmi vous, et qui est comme vous, va faire ses tout premiers pas sur la corde raide ! Mesdames et messieurs, je vous demande d'applaudir bien fort le nouveau membre de notre famille, notre frère d'adoption : le *quatrième* Zanzinni !

Luisa tendit le bras vers moi, et un projecteur fut à nouveau braqué sur mon visage.

Le public applaudissait à tout rompre.

– En avant ! ordonna Antonelli.

Je levai les yeux vers le sommet de la tourelle.

– Je ne peux pas !

– Vous n'avez plus le choix ! brailla-t-il, et il me propulsa sur le premier échelon de la tourelle, me poussant carrément par les fesses. Allez !

Je lui lançai un regard hésitant. Notant ma réticence, la foule se mit à scander :

– En avant ! En avant ! En avant !

Je gravis les premiers échelons, et le public fut en délire.

Alors que nous continuions à grimper, Antonelli brailla des instructions, cherchant sans doute à me rassurer.

– Quand vous aurez atteint la plate-forme au sommet, mettez-vous de côté afin que je puisse vous rejoindre. Je vous apprendrai à marcher sur la corde raide. N'ayez pas peur. Je vous tiendrai les mains tout le temps. Il y a un filet de sécurité au-dessous. Vous n'avez rien à craindre. Je ne permettrai pas qu'il vous arrive quoi que ce soit. Contentez-vous de faire ce que je vous dirai, au moment où je vous le dirai.

J'avais pris pied sur une plate-forme d'environ un mètre carré, à une bonne vingtaine de mètres au-dessus du sol. Il n'y avait rien à quoi se tenir à l'exception d'un câble tout fin qui reliait la plate-forme au sommet du pavillon. Mes paumes étaient trempées. Les yeux baissés, je ne vis aucun filet de sécurité. Mes jambes tremblaient tellement que je craignais de chuter avant même d'avoir tenté quoi que ce soit. J'avais l'impression que mon cœur allait bondir hors de ma poitrine pour redescendre l'échelle.

Antonelli me rejoignit, saisissant le cordage auquel je me cramponnais. Il se campa au bord du vide.

– Regardez-moi ! ordonna-t-il en désignant ses yeux. Regardez !

Totalement paniqué, j'obéis.

– Et écoutez-moi ! Faites abstraction du bruit et gardez les yeux rivés sur moi. Contentez-vous de m'écouter. C'est l'instant de vérité. Vous voyez Luisa sur l'autre plate-forme, en face ? Regardez au-dessus de ma tête… vous êtes plus grand que moi. Ne la voyez-vous pas ?

Une corde courait du pied de notre tourelle à l'autre, quarante mètres plus loin, où Luisa me souriait.

– Je la vois, répondis-je en tremblant.

– Bien, fit Antonelli. Maintenant, je veux que vous vous concentriez sur elle. Notre but est de la rejoindre. *Votre* but est de la rejoindre. Pour l'atteindre, vous devez oublier les bruits qui nous entourent et ne plus entendre que ma voix. Il faut que vous oubliiez toutes les sensations de votre corps pour ne plus tendre que vers un seul objectif : parvenir de l'autre côté. Vous me comprenez jusqu'ici ?

Hésitant, j'acquiesçai.

Antonelli sourit.

– Pour l'instant, vous vous en sortez bien. Ne quittez pas Luisa des yeux. Imaginez que si vous ne la rejoignez pas, elle sera tuée.

Je fixai Luisa, tentant de prendre mon courage à deux mains. Du coin de l'œil, j'observai aussi Antonelli, en train de se pencher pour attraper quelque chose sous la plate-forme... Il se redressa, une sorte de bâton blanc au poing. On eût dit un manche à balai, en plus long.

– Regardez-moi, insista Antonelli. Et ouvrez bien vos oreilles. Voilà ce que nous allons faire... Je vais m'engager sur le fil à reculons en tenant ce bâton parallèle au sol, devant moi. Vous allez vous contenter de me suivre pas à pas. Vous pourrez garder l'équilibre en vous tenant au bâton. Entendu ?

Je secouai la tête, non par manque de compréhension, mais par pur refus.

Se tournant, Antonelli gesticula vers Luisa, qui s'aventura lentement sur la corde tendue entre les deux tourelles, et continua jusqu'à mi-parcours. Puis elle s'agenouilla et se tint à la corde avec ses mains.

– Écoutez, reprit Antonelli, vous devez y aller. *Nous* le devons. Luisa ne pourra pas maintenir cette position bien longtemps. Or, il faut la rejoindre avant qu'elle puisse regagner sa plate-forme. Vous m'entendez ? Nous devons y parvenir. Il vous suffira de poser un pied devant l'autre. Fixez Luisa par-dessus mon épaule à mesure que nous avancerons et utilisez le bâton que je tiens pour conserver l'équilibre. Vous n'avez pas à baisser les yeux. Mettez lentement un pied devant l'autre, en testant à chaque fois la corde sous la plante de votre pied avant de poser tout votre poids. Ne regardez pas en bas. Gardez les yeux rivés sur Luisa. Votre but est de l'atteindre. Allons-y.

Il recula sur la corde. Le public retint son souffle. Antonelli tenait le bâton devant lui parallèle au sol.

– Posez les mains dessus, ordonna-t-il.

Tendant les bras, j'obéis.

– Super ! Vous vous en sortez très bien. Ne quittez pas Luisa des yeux. Maintenant, un pied devant l'autre, avancez... Sentez la corde sous votre pied avant de poser votre poids dessus, répéta-t-il.

La terreur me pétrifia. Je regardai Antonelli dans les yeux.

– Je ne peux pas ! Je n'y arriverai pas !

Il me regarda avec calme.

– Vous le devez. C'est fondamental. Ne donnez pas raison à Meg. Pour changer, vous devez impérativement aller de l'avant. Voilà la chance de votre vie. L'existence à laquelle vous aspirez tant vous attend à l'autre bout de cette corde. Regardez Luisa.

Je tournai les yeux vers elle. Souriante, l'artiste m'encouragea d'un signe.

– Vous devez y arriver, insista Antonelli. Faites un premier pas, il le faut. Maintenant, je vais reculer, en tendant le bâton devant moi. Vous devrez avancer avec moi, ou vous tomberez. Il faut que vous fassiez ce premier pas. Allons-y.

Antonelli recula. Je poussai un cri. Le public était pétrifié. Je posai le pied sur la corde. Les gens m'acclamèrent.

– Ne les écoutez pas, répéta Antonelli. N'ayez d'yeux que pour Luisa. Allons, un autre pas en avant... De petits pas hardis... Voilà comment vous changerez. Encore un autre... Je recule...

Il fit un pas en arrière et je me cramponnai de plus belle au bâton. Les acclamations s'élevèrent, plus vives. Je posai l'autre pied sur la corde. J'avais fait le premier pas.

– Encore, m'encouragea Antonelli.

– Je ne peux pas, murmurai-je.

– Vous le devez. Vous ne pouvez plus reculer. Vous voilà engagé… Il faut que vous fassiez un autre pas. Je recule…

J'avançai, et des clameurs éclatèrent.

Antonelli continuait de reculer, et moi d'avancer à sa suite. J'exerçai toujours plus de pression sur le bâton, dépendant de lui pour conserver l'équilibre. Par quelque prodige, Antonelli réussissait à ne pas perdre le sien tout en me guidant.

Avant que je ne le réalise, il ne se trouva plus qu'à cinquante centimètres de Luisa.

– Maintenant, écoutez, reprit-il, vous avez réussi. Vous y êtes parvenu par vous-même. Je vais lâcher le bâton.

La panique s'empara de moi. Je détachai le regard de Luisa… et perdis soudain l'équilibre. Je me rattrapai lourdement à l'extrémité gauche du bâton, manquant chuter dans le vide. La foule poussa des cris stridents.

– Regardez Luisa ! brailla Antonelli.

Obéissant, je retrouvai l'équilibre.

– Bien, bien… Ne la quittez plus des yeux. Je vais me pencher puis lâcher le bâton. Je veux que vous le lui tendiez. Luisa en a maintenant besoin pour son

---

[1] En français dans le texte.

propre équilibre. Vous allez momentanément tendre les bras comme des ailes d'avion, afin de conserver le vôtre. Puis je vais me redresser et vous offrir mes mains comme point d'ancrage. À présent, je me penche…

– Non ! criai-je, réduit à l'impuissance.

Antonelli s'agenouilla.

– Maintenant, je lâche le bâton… Tendez-le à Luisa, tout doucement. Ne la quittez pas des yeux. Vous la regardez ?

– Oui, murmurai-je.

– Bien. Passez-lui le bâton…

Luisa tendit les bras. Lentement, je le lui offris, et me retrouvai en équilibre sans appui. La foule était en délire.

Pivotant sur elle-même, Luisa rejoignit sa plate-forme.

Se redressant, Antonelli eut un grand sourire.

– *Bravo* ![1] Vous avez réussi ! À vous de jouer maintenant !

Il recula d'un autre pas.

– Non, attendez ! criai-je, affolé.

– Vous pouvez y arriver. Ne quittez pas Luisa des yeux. Sous aucun prétexte. Vous n'avez plus besoin de moi.

Pivotant lentement à son tour, il s'éloigna. Une clameur angoissée s'éleva du public.

Des larmes de découragement me montèrent aux yeux. Battant des cils, je les refoulai.

Antonelli atteignit la plate-forme, et rejoignit Luisa. Frappant dans leurs mains, tous deux m'encouragèrent à surmonter ma paralysie. Le public les imita.

Je fixai Luisa. Brusquement, ses traits se transformèrent et devinrent ceux de Meg.

– Prouvez-le ! me lança-t-elle.

Traversé d'un sursaut d'émotion, je fis un pas en avant. Mais je ne posai pas bien le pied sur la corde, et mon corps bascula vers la droite. La foule hurla. Je me redressai vivement, et fis un autre pas. Les cris des spectateurs me parurent éloignés. Peu impressionnée, Meg me toisait.

– Vous vous laissez aller…, accusa-t-elle.

Un nouveau pas.

Son visage redevint celui de Luisa.

Encore un pas.

Une fois de plus, je posai mal le pied sur la corde.

Je manquai de basculer vers la droite.

En voulant rectifier mon erreur, je tendis les bras en avant, mais avec un mouvement trop brusque.

La foule rugit plus fort encore.

Je sentis que mes pieds étaient au-dessus de ma tête.

Une fraction de seconde avant que je ne m'écrase au sol, un filet de sécurité se tendit pour me cueillir au vol.

Le dompteur de lions

Le filet, en descendant, me permit de reprendre contact avec le sol, à mon immense soulagement. Monsieur Loyal accourut, suivi par le pinceau lumineux du projecteur. M'ayant donné une accolade chaleureuse, il me prit le bras pour le dresser triomphalement en l'air.

– À votre avis, mesdames et messieurs, on l'applaudit bien fort ? Une ovation pour notre volontaire !

Dans le public, tout le monde se leva pour m'acclamer. Puis Monsieur Loyal désigna les Zanzinni, qui se tenaient maintenant sur une plate-forme encore plus haute.

– Et à présent, messieurs dames, les Zanzinni vont accomplir leur numéro de voltige trompe-la-mort mondialement célèbre !

Le projecteur remonta vers les Zanzinni. Luisa quitta la plate-forme pour une barre de trapèze.

Monsieur Loyal me donna un petit coup de coude.

– Bien joué ! chuchota-t-il.

– Mais je suis tombé…

– Naturellement ! C'est ce qui arrive quand on s'élance pour atteindre ses objectifs. Mais vous avez tenté le coup, vous vous êtes engagé. Et vous avez appris que même si l'on chute, il y a toujours plus de peur que de mal. Vous voilà lancé dans une héroïque aventure.

– Pourtant, j'étais terrifié, je pouvais à peine...

Soudain, on me saisit par derrière, me tordant le bras gauche dans le dos, et on me poussa en avant. Une vive douleur me vrilla l'épaule et la nuque.

– Larry ! s'exclama Monsieur Loyal, étonné. Que fais-tu ?

– Je commence avec un peu d'avance, répondit le personnage avec un fort accent australien.

Me tordant le cou, j'aperçus derrière moi un gaillard en tricot safari et en chapeau mou maculé de sueur. Il me poussait de force en direction de l'anneau gauche, me serrant le bras de sa poigne d'acier.

Trébuchant, me débattant pour me libérer, je protestai :

– Lâchez-moi !

En quelques secondes, Larry m'avait traîné au milieu de l'anneau de gauche, devant la cage aux fauves que j'avais vue plus tôt. Il me lâcha le bras, et me projeta violemment dans la cage.

Je lui fis face en hurlant :

– Bon sang, qu'est-ce qui vous prend ?

– Là-haut, répondit-il d'un ton sévère en désignant les cordages, vous vous comportiez comme un chaton. Alors j'ai pensé que vous seriez aussi bien ici, avec ceux de votre espèce...

Il désigna une petite cage adjacente où six lions dévoraient des pièces de viande sanguinolentes, comme s'ils n'avaient rien avalé depuis des jours. Ils avaient la tête et la crinière couvertes de sang. Une sorte de parcours d'obstacles les séparait de moi, un assemblage de grandes et gosses caisses et de balles de bois. Une gym de la jungle, pour ainsi dire.

– Non ! m'égosillai-je en réalisant où je me trouvais.

Bondissant sur mes pieds, je bousculai Larry pour tenter de fuir. Mais l'entrée de la cage était déjà verrouillée. La grille métallique s'élevait à plus de sept mètres de hauteur. Il n'y avait aucune échappatoire possible. De rage, je secouai les barreaux de la cage.

– Ce n'est pas drôle ! Laissez-moi sortir !

Henry avait dû assister à toute la scène. Il accourut.

– Larry ! Pas comme ça ! Laisse-le sortir !

Je me retournai pour voir Larry, campé au centre de la cage, en train de décrocher un fouet de son ceinturon.

– Il est incapable de changer, Henry, parce qu'il se focalise sans cesse sur ce qui l'effraye. Il ne peut s'empêcher de céder face à ses craintes ou de les fuir. Il est grand temps que ce type apprenne à affronter la vie en face, ou bon sang, qu'il se trouve enfin une cause qui le dépasse et pour laquelle se battre !

– Non, Larry ! Je te dis… !

L'annonce retentissante de Monsieur Loyal coupa la parole à Henry.

– Mesdames et messieurs, vous êtes sur le point de découvrir l'homme le plus courageux du monde ! Un homme qui a dompté sa peur *et* les bêtes *les plus féroces* de la planète ! Un homme qui dirige des animaux si sauvages, si indomptables, que personne d'autre au monde n'oserait s'en approcher ! Mesdames et messieurs, j'ai l'immense plaisir de vous présenter Larry le Dompteur de Lions !

Le projecteur se braqua sur l'artiste, que la foule acclama à tout rompre. Il fit rapidement le tour de la cage, faisant claquer à plusieurs reprises son fouet en direction des félins. En revenant vers Henry et moi, il m'agrippa de nouveau par l'avant-bras pour me propulser au centre de l'anneau.

– Navré, Henry.

En dépit de la résistance que je lui opposai, il réussit à me traîner jusqu'à une grande caisse rouge.

– Bougez ou mourez ! gronda-t-il.

Il refit le tour de la cage, claquant du fouet en direction des lions, puis sauta sur la caisse verte, non loin de moi.

La porte de la cage aux lions s'ouvrit ; six félins s'élancèrent et investirent notre espace. Plusieurs d'entre eux foncèrent sur nous devant le public médusé, mais à chaque fois, le claquement du fouet les dissuadait d'attaquer.

– Vous voyez celui-là, là-bas ? me lança Larry en désignant un lion massif qui arpentait l'espace encagé. C'est lui qui m'a fait ça…

D'un coup d'œil, il attira mon attention sur sa jambe avant de relever les yeux vers les félins. Il avait un mollet mutilé.

– Nous l'appelons Mufasa, car c'est le roi. Lors d'un spectacle, il m'a harponné de ses griffes et secoué

comme une poupée de chiffon... Les pauvres spectateurs étaient terrifiés.

– Les *spectateurs* étaient terrifiés ? me récriai-je.
Vous êtes fou, ma parole ! Je ne veux pas être mêlé à
ça ! Laissez-moi sortir, *s'il vous plaît* !

Comme si je le décevais, Larry secoua la tête. Puis il
sauta à terre et, de ses claquements de fouet, fit battre
les prédateurs en retraite sur la gauche.

– La vie, ça revient à être dans la cage aux lions,
l'ami. Montrez de la peur, cédez du terrain ou détour-
nez-vous de votre adversaire, et vous êtes un homme
mort !

Il se campa devant les fauves, sous les hurlements
d'effroi des spectateurs. Au prix de quelques cris et claquements de fouet cependant, il réussit à disposer les
lions en file indienne, puis à les faire asseoir. Alors, il
les fit bondir de caisse en caisse, suivant le parcours
d'obstacles, d'une balle de bois sur l'autre, à une
cadence effrénée. Il poussa même Mufasa à marcher
sur une bascule posée en équilibre sur une boîte trian-
gulaire, et qui s'inclina sous son poids.

Alors que le lion reprenait contact avec le sol, sur
ma gauche, Larry me rejoignit pour me chasser de
mon perchoir et me propulser au centre de l'anneau.

Des cris s'élevèrent à nouveau du public.

– Que faites-vous ? hurlai-je, terrifié.

L'annonce de Monsieur Loyal résonna sous le chapiteau.

– Mesdames, messieurs, notre courageux volontaire
est prêt à relever un nouveau défi monumental !

– Non ! braillai-je.

Larry bondit sur la caisse rouge, fit claquer son fouet devant moi et lâcha :

– À votre tour…

– *Quoi* ? gémis-je, jetant un coup d'œil à Mufasa avant de foudroyer Larry du regard. Hors de question ! Je ne veux pas faire ça, vous m'entendez ?

Je me tournai vers l'entrée de la cage, et vis Henry, de l'autre côté, explorer fébrilement un trousseau de clés.

– Henry ! hurlai-je en courant le rejoindre avec l'espoir de déguerpir au plus vite de là.

Alors que j'atteignais la grille, Henry releva les yeux par-dessus mon épaule et s'écria :

– Attention ! Derrière vous !

Faisant volte-face, j'aperçus les lions, à l'autre bout de la cage, qui m'observaient avec curiosité. Mufasa et deux de ses congénères progressèrent furtivement dans ma direction. À chaque foulée discrète, leurs regards allaient de moi à Larry.

– Je ne trouve pas la clé ! s'écria Henry au désespoir, me regardant comme si j'étais déjà mort.

– Vous feriez mieux de revenir par ici ! me lança le dompteur.

Je lui jetai un regard fou.

– Larry, laissez-moi sortir ! Je vous l'ai dit, je ne veux rien avoir à faire avec tout ça…

– Mais vous y êtes bel et bien, répliqua-t-il d'un ton sévère. Vous feriez mieux de revenir par ici, insista-t-il. *Maintenant !*

Mes jambes tremblaient. J'étais comme paralysé. Je ne voyais plus que l'image de ces lions couverts de sang, en train de dévorer les bouts de viande.

Mufasa et les deux autres continuaient de glisser dans ma direction.

– Venez ici ! grogna Larry entre ses dents.

Au son de sa voix, les trois fauves s'arrêtèrent, coulant à leur maître des regards prudents. Mufasa, qui ne me quittait pas des yeux, fit un nouveau pas vers moi. Il était maintenant à la hauteur du perchoir rouge de Larry.

– Si vous ne venez pas ici en vous comportant *en maître des lieux*, Mufasa va passer à l'attaque, m'avertit le dompteur. *Allez !*

Je fis un pas timide en avant. Stoppant net, Mufasa inclina la tête.

Je fis un autre pas.

Le lion bondit vers moi.

– Mufasa, *non !* hurla Larry.

L'animal stoppa à quelques mètres de moi. J'avais les yeux écarquillés de terreur. Je pouvais voir, dans sa gueule ouverte, ses longues canines jaunies.

– Si vous le fixez comme ça, il va vous sauter à la gorge ! rugit Larry.

– Je ne sais pas quoi faire ! criai-je d'une voix stridente que je ne me connaissais pas.

– S'il charge, vous vous redressez de toute votre taille et vous lui hurlez « *non* » !

– Je ne peux pas ! braillai-je.

Mufasa bondit.

Plongeant à terre, je me couvris la tête.

Je sentis le corps du fauve fondre sur moi. Puis un heurt à la jambe me fit rouler par terre.

Clac !

Le fouet de Larry. *Merci, mon Dieu !*

Je rouvris les yeux. Mufasa se tenait à moins de deux mètres de moi. Toutes griffes dehors, il rugissait, ses yeux sauvages fixés sur moi.

— Maintenant, *bon sang*, vous feriez mieux de vous *relever* ! hurla Larry.

Je me remis sur pied en gémissant, et reculai tout contre les barreaux de la cage. Sans que Mufasa me quitte des yeux une seconde.

— Il attaquera de nouveau si vous ne montrez pas *plus de cran que ça !* Faites un pas vers lui et criez-lui de reculer. Criez-le de *toute votre âme !*

La voix de Larry me parut bizarrement assourdie. Mon cœur battait si fort que je n'entendais presque plus les clameurs de la foule ou les braillements du dompteur. Du fond de ma terreur, je ne voyais que Mufasa.

L'animal bondit à nouveau. D'effroi, je portai les mains à ma tête et me détournai. Je reçus un coup à l'épaule qui me fit mordre la poussière. La douleur me vrilla. Levant les yeux, j'aperçus le lion qui, dans son élan, allait retomber sur moi. Portant mes mains à mon visage, je sentis ses pattes arrières se prendre dans mes jambes. Il m'avait visé aux bras et au torse.

Clac !

L'animal me lâcha, bondissant à l'écart.

Entre mes bras dressés, je l'entrevis à environ trois mètres, ramassé sur lui-même et prêt à revenir à la charge à tout instant.

– LEVEZ-VOUS OU MOUREZ ! s'époumona Larry à tue-tête. LEVEZ-VOUS !

Je me redressai sur un genou. Son attention soudain braquée sur ma droite, Mufasa rugit. Je tournai la tête. Monsieur Loyal était en train de pousser Mary dans la cage. À la vue du lion, Mary poussa un cri suraigu qui faillit me crever les tympans.

Mufasa rugit de plus belle.

– Mary ! hurlai-je.

Elle ne parut pas m'entendre ni même me voir. Paralysée, elle fixait l'animal rugissant.

– Mary ! hurlai-je encore en me relevant.

Rugissant toujours, Mufasa avança vers elle.

– IL VA L'ATTAQUER ! s'égosilla le dompteur.

– NON !

Je courus m'interposer entre Mary et le lion.

Dans un grondement, le fauve fit un bond.

Les bras tendus devant moi, je vociférai :

– MUFASA, ARRIÈRE !

Le félin atterrit juste devant moi, son museau m'effleura les jambes.

– ARRIÈRE ! ÉCARTE-TOI D'ELLE, SALOPARD !

Les yeux ronds, le lion recula en rugissant dans notre direction.

J'avançai en désignant les autres lions :

– *Retourne là-bas !*

Tête inclinée, Mufasa me jaugea.

– *Retourne là-bas sur-le-champ* ! lui intimai-je en faisant un autre pas.

Grondant toujours, il montra les crocs.

Avançant encore, je hurlai à gorge déployée :

– ARRIÈRE TOUT DE SUITE, ESPÈCE DE... !

Soudain, il recula de plusieurs pas ; je continuai vers lui, et il pivota pour rejoindre ses congénères.

– Bien joué, mon garçon ! cria Larry.

La foule se leva comme un seul homme, rugissant plus fort encore que les lions.

Je regardai le dompteur, le public en délire... Le sang bouillonnait dans mes veines. Par-dessus mon épaule, je lançai un coup d'œil à Mary...

... qui avait disparu.

Je revins à Larry.

– Une cause digne qu'on se batte pour elle..., conclut-il.

Mike le costaud

Monsieur Loyal rouvrit la cage ; Larry et moi en sortîmes. La première personne que je vis, ce fut Henry. Il trotta vers nous, et nous étreignit de tout son cœur.

– Tu as réussi ! jubila-t-il.

Larry me prit la main pour la brandir en l'air. La foule était toujours en délire.

Nous nous dirigeâmes vers le bas-côté, en direction des loges. Les gens nous bombardaient de popcorn, comme on lance du riz à des jeunes mariés. Par rangées entières, les spectateurs quittaient leurs places pour venir nous féliciter.

Un des agents de la sécurité, à l'entrée de l'espace réservé aux artistes, vint à notre rencontre et nous aida à fendre la foule. Quand nous eûmes atteint le rideau, son collègue et lui eurent fort à faire pour contenir les spectateurs surexcités.

Une fois que nous eûmes rejoint nos compagnons de piste, on nous acclama encore.

Un type tenait une brassée de longues tiges coiffées de ce qui ressemblait à de petits bouts de guimauve calcinés ; il se faufila jusqu'à nous, et me dévisagea.

– Notre héros ! Eh, voulez-vous y retourner maintenant et avaler le feu avec moi ?

Des regards interrogateurs convergèrent vers moi.

– Non, merci, répondis-je. Toutes ces émotions m'ont déjà un peu grillé.

Tout le monde éclata de rire.

Après les poignées de main et autres tapes dans le dos des clowns, des acrobates, des jongleurs et des gymnastes aux arceaux, Henry et moi pûmes enfin nous asseoir sur deux tabourets, face aux miroirs, et souffler un peu. Épuisés, nous nous contentâmes de regarder les artistes se livrer à leurs derniers préparatifs avant leur entrée en scène. Nous partagions en silence un moment de satisfaction et de paix.

Après quelques instants, il plaisanta.

– J'ai bien cru que Mufasa allait t'avaler tout cru !

J'éclatai de rire.

– Et moi donc !

– C'était bien joué, mon garçon.

– Merci, Henry.

– Je suis fier de toi. Je savais que tu en étais capable. Que, stimulé et poussé en avant par le risque, tu irais jusqu'au bout. Que tu marcherais vaillamment sur la corde raide, que tu affronterais tes peurs dans la cage aux lions pour mieux les dompter. J'en étais sûr.

Je soupirai.

– Mais *moi*, je ne crois pas que je le savais.

– Je parie qu'à présent, tu as repris confiance, n'est-ce pas ?

– En effet.

– Bien. Je pense sincèrement que tu es assez fort pour affronter tes propres peurs. Une seule chose pourrait encore t'empêcher de changer.

– Laquelle ?

– Es-tu assez fort pour te dresser contre ceux qui pourraient t'empêcher de changer ?

– Que voulez-vous dire ?

Henry héla au passage un jongleur.

– Eh, Jerry, tu veux bien aller chercher le grand Mike pour moi ? Dis-lui que j'aimerais lui présenter quelqu'un.

Après quelques minutes, un type massif vint vers nous. Il était vraiment d'une stature impressionnante. Il avait recouvert son incroyable musculature d'une chemise à rayures rouges et blanches, d'un caleçon noir, d'une large ceinture rouge et de bandeaux noirs aux avant-bras. Comme tous les employés du parc, il avait la tête de l'emploi. Il avait la poitrine d'un taureau et des biceps aussi gros que des boules de bowling. Il semblait capable de me soulever du sol comme la barre chocolatée de son goûter.

– *Yo*, Henry ! Jerry a dit que tu avais besoin de moi ?

Quand il baissa les yeux sur ma petite personne, je demeurai bouche bée. C'était vraiment l'être humain le plus énorme que j'eusse jamais vu.

Henry sourit.

– Eh bien, Mike, je me demandais juste si tu avais quelques instants à consacrer au gamin, ici présent, pour parler.

– Certainement, Henry. À quel sujet ?

255

– J'espérais que tu pourrais lui confier ton histoire. Dès qu'il sera de retour chez lui, un rude combat l'attend avant qu'il puisse changer. Il risque d'affronter les difficultés que tu as dû toi-même surmonter avant de devenir Mike le Costaud.

Acquiesçant, ce dernier tira un tabouret à lui. Comme il s'asseyait, je m'attendis à ce que les pieds du tabouret rompent sous sa masse. Ils tinrent bon, mais cela faisait un curieux tableau : un bœuf perché sur un cure-dent…

Comme perdu dans ses pensées, Mike contempla longuement le sol. Il semblait sur le point d'entreprendre une tâche extraordinairement complexe.

– Je ne sais absolument rien de votre histoire, commença-t-il, mais vous pourrez peut-être trouver des parallèles… Je n'ai pas toujours eu cet allure, dit-il en désignant son propre corps d'une main large comme un gant de base-ball. Je n'ai pas toujours été « Mike le Costaud », comme Henry vient de le dire. J'étais un gosse chétif… vraiment chétif.

« Voilà toute l'histoire. Je suis un enfant prématuré, Maman a accouché deux mois avant terme. J'étais si frêle à la naissance, on aurait dit un pauvre souriceau. Pour me maintenir en vie, les docteurs ont dû me placer en couveuse plusieurs mois. Il y a eu toutes sortes de complications. J'avais le cœur fragile, je souffrais d'un collapsus pulmonaire, d'une structure osseuse délicate… vous voyez le topo. Les premières années de ma vie, ma mère et mon père ont dû passer leur temps à craindre que je meure. Et même quand j'ai grandi, il fallait toujours aller à l'hôpital pour un oui ou pour un non : des douleurs osseuses, une crise d'asthme, ou simplement parce qu'il fallait renouveler le stock de médicaments pour tout le reste. Ces trajets incessants étaient vraiment pénibles car nous résidions en montagne dans un hameau de bûcherons, et l'hôpital se trouvait en ville, dans la vallée. Il fallait deux heures pour s'y rendre.

« Quoi qu'il en soit, être une petite souris quand votre famille vit du sciage de long, en forêt, c'est mal barré. Mon père et mon frère aîné, Tom, auraient eu bien besoin d'aide lorsqu'ils partaient travailler dans les bois. Mais maman veillait toujours à ce que je reste à la maison pour éviter que je me blesse. Quand j'avais huit ou neuf ans, je me rappelle, il y a eu une véritable querelle à ce sujet. Papa voulait que j'accomplisse des tâches simples comme transporter les scies et les chaînes depuis le camion jusqu'au au pied des arbres à abattre, mais mon cœur malade et mon asthme inquiétaient trop maman pour qu'elle me laisse faire ce genre de choses.

« Vu que je ne servais à rien, la vie n'était pas facile pour mon frère Tom. Il travaillait énormément. Il avait seulement quatre ans de plus que moi, mais avec le travail manuel qu'il abattait, il semblait déjà un adulte.

« Ce qui s'est avéré pratique, quand je suis entré au lycée. Les autres gosses cherchaient toujours des histoires à une demi-portion comme moi. Tom, qui était dans une classe supérieure, me sauvait toujours la mise à la sortie des cours. C'était vraiment mon ange gardien, et c'est grâce à lui que j'ai survécu par miracle à ma première année de lycée.

Marquant une pause, Mike se dandina un peu sur son siège comme s'il ne savait pas quoi faire de ses bras. Il finit par les croiser et poursuivit son récit, sans cesser de fixer le sol.

— Cet été-là, notre père a finalement convaincu maman de me laisser leur donner un coup de main. Il disait qu'à quinze ans, on est un homme. À l'idée de me rendre utile, j'étais déjà tout excité. Et puis je ne serais plus dans les jupons de ma mère, enfin ! Naturellement, Papa et Tom me protégeaient toujours un peu. Au lieu d'abattre les arbres à la tronçonneuse ou de poser les colliers sur les rondins, je conduisais le camion, je nettoyais les équipements, j'élaguais les branches ou encore je coupais les nœuds des rondins. Cet été-là a été le meilleur de ma vie. J'adorais vivre et travailler en montagne avec mon père et Tom. J'avais l'impression d'être un homme.

« Vers la fin de la saison, il y a eu un orage épouvantable. Papa, Tom et moi avons lutté pour charger tout l'équipement sur le plateau de la camionnette et les rondins sur le camion. Quand nous y sommes enfin parvenus, il pleuvait des trombes d'eau. Papa a demandé à Tom de rentrer avec la camionnette aussi vite que possible afin de rassurer maman, et de lui dire que nous arrivions. Papa me prenait toujours avec lui dans le camion, je suppose qu'il voulait me garder près de lui pour mieux veiller sur moi.

« Depuis ce jour, je n'ai plus jamais vu d'orage aussi violent. Il pleuvait si fort que mon père a refusé de me laisser conduire, alors que le reste du temps, il insistait pour que je prenne le volant, afin que je me sente vraiment utile. Le chemin de terre qui descendait de la montagne était abrupt et dangereux. Il y avait des nids-de-poule partout, qui étaient remplis d'eau. À de nombreux endroits, des torrents d'eau de pluie traversaient la route, et le niveau montait dans les fossés.

« Nous roulions au pas. À mi-parcours environ, il y a eu un drôle de crissement, à l'arrière du véhicule. Papa a freiné. Malgré notre lenteur, avec tout le poids des rondins, le chemin était si boueux que le camion a dérapé avant de s'arrêter.

« Reste là, fiston », m'a dit mon père. « Je ne veux pas que tu attrapes froid. Je vais aller vérifier le treuil de hissage… » Il a sauté dehors, et quelques instants plus tard, j'ai entendu un craquement et un cri. Le camion a littéralement tangué. Dans le rétroviseur, j'ai vu les rondins rouler au sol.

Observant un autre silence, Mike se mit à se tordre les mains.

– J'ai poussé la portière et sauté hors de la cabine en appelant mon père. Il n'a pas répondu. Deux ou trois autres rondins ont basculé dans le fossé, sur le bas-côté. Je les ai suivis du regard, et c'est là que j'ai vu mon père. Il était dans le fossé, coincé sous le bois. Son visage était couvert de sang et de boue. En hurlant, j'ai sauté pour le rejoindre. L'eau m'arrivait déjà aux mollets. Me mettant à genoux, j'ai tenté de libérer mon père, qui était bloqué sous quatre ou cinq tronçons de

bois, mais je n'arrivais pas à l'atteindre. J'ai crié :
« Papa, Papa ! Est-ce que ça va ? »

« Il a rouvert les yeux et m'a regardé. Il avait peur.
Je ne l'avais jamais vu avoir peur. L'eau atteignait déjà
ses hanches. Il a tenté de bouger ses bras, mais ça l'a
fait hurler de douleur. « Fils, je ne peux plus
bouger... », m'a-t-il dit d'une voix désespérée.

« Papa, je vais te sortir de là ! » me suis-je écrié. Me
redressant, j'ai passé les bras autour du rondin qui lui
bloquait le haut du corps. J'ai mis tout ce que j'avais
de force, toute mon âme, à essayer de bouger ce
tronc. En vain. J'ai persisté en changeant de position.
Rien à faire. L'eau arrivait maintenant au niveau de sa
poitrine. J'ai contourné l'amas de bois pour aller
renouveler ma tentative de l'autre côté. J'ai poussé,
j'ai tiré, j'ai crié, j'ai hurlé pour que le ciel m'aide à
soulever ce rondin... Je me suis arraché la peau
des mains et des avant-bras afin de trouver la bonne
prise, de faire rouler le rondin ou de le soulever
légèrement... Mais il n'y avait pas moyen de le dépla-
cer.

« J'ai entendu mon père m'appeler à grands cris,
je suis revenu au pas de course de l'autre côté, là où je
pouvais voir son visage. Il avait de l'eau jusqu'au cou. Il
m'a regardé...

Cessant de se tordre les mains, Mike les porta à son
visage. Il resta silencieux quelques instants. Henry tendit un bras pour lui serrer l'épaule. Mike releva alors
les yeux vers lui avec un signe d'acquiescement. Le
géant pleurait.

Tournant à nouveau son regard vers le sol, il se racla la gorge.

– Mon père avait le regard de celui qui se sait condamné. Et pourtant il paraissait presque serein. Il m'a souri en clignant des yeux pour chasser ses larmes.

« Fiston », m'a-t-il dit, « ça ira, ne t'en fais pas, ce n'est pas ta faute... Aucun homme n'aurait pu soulever ces rondins pour me dégager. Ce n'est pas ta faute... Tu diras à ta mère que je l'ai aimée toute ma vie, d'accord ? Tu feras ça pour moi ? » Je le lui ai promis. Alors, il a ajouté : « Tu diras à Tom que je suis fier de lui, d'accord ? » Je le lui ai promis aussi. « Fils », a-t-il continué, « Mikie... Je suis aussi fier de toi. Ne laisse jamais personne te dire que tu n'es pas assez fort ou que tu n'es pas à la hauteur. Tu peux faire tout ce que les autres gosses font. Tu m'entends ? » En larmes, j'ai répondu oui. « Je t'aime, mon fils », a-t-il encore dit. « Je suis si fier de mon garçon... Si fier de toi... »

« Et alors », conclut Mike tout doucement, « j'ai regardé mon père se noyer ».

Indiquant d'un geste qu'il avait besoin de prendre l'air, Mike souleva le rabat et, longeant la cage aux fauves, passa de l'autre côté. Henry et moi restâmes silencieux quelques instants, puis nous sortîmes le rejoindre. Il s'était assis à l'arrière d'un chariot rempli de foin. J'avais encore la gorge nouée.

Pour la première fois, Mike releva les yeux vers moi.

– Laissez-moi finir mon récit, puisque Henry veut que vous reteniez la leçon. Après les funérailles de mon père, j'ai pris une décision qui engageait toute mon existence. J'ai résolu de ne plus jamais être faible. De tout changer. Plus d'excuses pour ne pas soulever des charges ni les porter. Plus d'excuses pour ne pas courir, m'exercer, jouer. J'ai eu pour objectif de devenir aussi fort qu'il m'était possible de l'être. Non pas en raison d'un quelconque remords ou par haine de moi-même après ce qui était arrivé à mon père, mais à cause de ses dernières paroles, tellement stimulantes. Je pouvais devenir aussi fort que n'importe qui, aussi fort que je le désirais... Je me suis investi corps et âme dans cet objectif. Je m'étais convaincu que je pourrais être beaucoup plus qu'un souriceau.

« Mais le monde ne le voyait pas de cet œil-là. Quand j'ai commencé à soulever des instruments plus lourds au travail, Tom m'a dit : « Mikie, tu n'as pas à repousser tes limites comme ça. Sois prudent. » Lorsque je me suis mis aux poids et haltères au lycée, maman m'a supplié d'arrêter, me répétant sans cesse que j'allais me blesser. Dès que j'ai prétendu intégrer l'équipe de lutte, l'entraîneur m'a averti : « Ne rêve pas trop, mon garçon... » Même après mon admission, les gens me disaient encore que j'étais trop frêle pour arriver à quelque chose. Le peu d'amis que j'avais, tous des avortons comme moi qui se faisaient toujours rosser à la sortie des cours, ont commencé à me dire : « *Mais pour qui tu te prends ?* » ou « *Qu'est-ce que tu cherches à prouver ?* » C'était comme si le monde entier m'avait classé depuis toujours dans la catégorie « freluquet », et que personne ne pouvait accepter l'idée que je puisse vouloir être plus que ça, ou même que je puisse être plus que ça.

« Naturellement, de nombreuses personnes dans mon entourage cherchaient simplement à me protéger. Maman et Tom ne voulaient pas que je me blesse. Je suis certain que certains professeurs, certains amis ou entraîneurs ne voulaient que mon bien. Mais ce qu'ils ignoraient, c'est que leurs messages m'encourageaient à rester faible. Et bien sûr, il y avait ceux qui, comme mes copains d'enfance, étaient un peu jaloux de me voir devenir plus costaud qu'eux. Les dix années suivantes, alors que je gagnais en force et en santé, soit les gens me soutenaient dans ma démarche, soit je devais couper les ponts. En chemin, j'ai perdu quelques amis qui ne comprenaient pas ce que je m'efforçais de faire. J'ai même quitté ma ville natale afin d'entrer en contact avec des personnes désireuses de vivre leur vie au niveau que je visais moi-même. Mais pour la plupart, ceux qui comptaient se sont faits à l'idée que je faisais ce qui était bon pour moi. Il m'a juste fallu faire preuve de patience, leur assurer que je les aimais et que je ne les trahirais pas.

« Alors, voilà la leçon : nous atteignons tous un tournant dans notre existence où nous décidons d'être plus fort. Lorsque nous nous lançons dans cette démarche, beaucoup de gens compromettent nos progrès à leur insu en tentant de nous protéger ou de nous maintenir dans la catégorie dans laquelle ils nous ont classée. Si j'avais écouté ma mère, mon frère, mes amis ou mes entraîneurs, je serais toujours cet avorton qui se méprisait en secret. Au lieu de quoi, j'ai plutôt écouté ceux qui, comme mon père, m'encourageaient, ainsi que mes propres désirs enfouis. Je suis devenu celui que je voulais être en échappant aux idées des autres sur ce que je *devrais* être. *Voilà* comment la petite souris est devenu Mike le Costaud.

Assis au premier rang, Henry et moi assistâmes au numéro de Mike : il jonglait avec des boules de bowling de huit kilos, soulevait du sol l'avant d'une voiture pleine de clowns, laissait un éléphant lui marcher sur le torse, et accomplissait toutes sortes de prouesses qui laissaient le public pantois.

Pour le clou du spectacle, un chariot-élévateur à fourche vint déposer devant l'artiste un tronc d'arbre long de près de trois mètres, et d'environ soixante centimètres d'épaisseur. Mike demanda à deux spectateurs – dont moi – de le rejoindre sur la piste pour tenter de soulever le tronc. Postés à chaque bout du tronc, le volontaire et moi mobilisâmes toute notre force musculaire. Le tronc ne bougea pas d'un cheveu.

Puis Mike se pencha et le souleva, puis il le hissa sur ses épaules, en grognant à peine sous l'effort.

Le public poussa des exclamations incrédules.

Pour la première fois depuis que je l'avais rencontré, Mike sourit.

L'anneau central

Mike le Costaud ayant bouclé son numéro, Monsieur Loyal demanda à tous ceux qui avaient animé la soirée de le rejoindre dans l'anneau central. Alors que les jongleurs, les clowns, les trapézistes, les danseurs, les dompteurs se regroupaient sur la piste, il reprit la parole :

– Mesdames et messieurs, je tiens à vous remercier d'être venus si nombreux à notre représentation de ce soir. J'espère que chacun de vous aura vu les merveilles et l'infinité des possibles en ce monde. Applaudissons bien fort nos artistes dont le talent et l'immense potentiel nous rappellent toujours les nôtres.

Les spectateurs se levèrent pour applaudir à tout rompre. Larry le dompteur de lions nous fit lever de nos sièges, Henry et moi, pour venir rejoindre nos comparses sur la piste, sous les acclamations. Mal à l'aise, je ne me sentais pas à ma place, alors je me mis à observer les artistes autour de moi. Ils faisaient de grands saluts à la foule, et envoyaient des baisers aux spectateurs. Qu'à cela ne tienne ! me dis-je, et je me mis moi aussi à envoyer des baisers. Puis ils firent la ronde pour saluer le public et s'incliner devant chaque travée à tour de rôle. Je les imitai.

– Regarde-les, me souffla Henry à l'oreille. Regarde bien les gens, leurs visages.

Dans le public, tout le monde souriait en applaudissant frénétiquement.

Après quelques instants, Monsieur Loyal reprit la parole :

– Merci à tous ! Nos artistes s'attarderont un peu, pour ceux d'entre vous qui aimeraient les rencontrer en personne. Merci encore à vous tous de votre présence ce soir, et nous espérons vous revoir bientôt. Bonne chance, et bonne nuit !

Quand les derniers spectateurs eurent quitté le Grand Chapiteau après nous avoir encore fêtés, les artistes laissèrent éclater leur joie. Ils se jetaient dans les bras les uns des autres, se donnaient de grandes accolades. C'était une immense embrassade générale. Puis, de nouveau en cercle, ils pivotèrent comme un seul homme en direction des travées vides. Toute animation envolée, ils contemplèrent en silence les gradins avec une même expression de contentement – ou peut-être s'agissait-il d'appréciation... Une minute s'écoula, puis une autre...

Et encore une autre.

Je me tournai vers Henry pour chuchoter :

– Que se passe-t-il ?

Il ne réagit pas, se contentant de fixer les sièges vides.

Une autre minute s'écoula. Dans un seul et même ensemble, nos compagnons franchirent soudain l'anneau et se volatilisèrent.

Je me tournai dans tous les sens, jetant des regards fous à la ronde. Seuls Henry et moi demeurions dans cet anneau central.

– Où sont-ils passés ? m'exclamai-je.

Henry me sourit.

– Leur travail est accompli.

– Quel travail ?

Il ne répondit pas, arpentant simplement la piste, les yeux tournés vers les gradins déserts. Quand il eut fait le tour du cercle, il revint au centre.

– Quel travail, demandais-tu ? fit-il à mi-voix. Selon toi, à quelle tâche tout le monde a-t-il contribué ce soir ?

– Eh bien, ce sont des artistes… Ils ont diverti les spectateurs.

– Diverti ? répéta Henry, dubitatif. Donc, à ton avis, ce qu'ont fait Larry le dompteur de lions, Mike le Costaud et les Zanzinni pour toi ce soir, c'est simplement du divertissement ?

– Eh bien, non… Non, je ne dirais pas ça… C'était bien davantage.

– Qu'ont-ils fait ?

– Ils ont voulu… J'ignore comment le formuler… Les Zanzinni m'ont poussé à l'audace. En me plongeant dans la terreur, Larry m'a obligé à affronter mes peurs. Quant à Mike, il m'a encouragé à me battre pour atteindre mes objectifs.

– Et tout cela te paraît-il être du domaine du divertissement ?

– Non, bien sûr que non.

– Alors, de quelle sorte de travail était-il question ce soir ?

Je réfléchis longuement.

– Eh bien, je dirais… Il s'agissait de faire la différence…

– Ah ! approuva Henry. J'aime ça, « faire la différence »… En effet, c'est bien ce que ces gens font. Chacun d'eux prend place dans l'anneau central, non pour être sous le feu des projecteurs ou pour se faire acclamer, mais pour faire la différence, c'est exact. Leur travail ne les concerne pas personnellement. Tous ont conscience d'être une âme parmi des milliers d'autres. Non, s'ils agissent ainsi, c'est uniquement pour amener un sourire sur les lèvres de leurs semblables. Ils accomplissent leur numéro afin que les gens qui viennent les applaudir puissent faire une pause dans la journée, connaître un peu de magie et d'espoir, ne serait-ce qu'un instant. Ils font leur numéro pour rappeler à tout le monde l'infinité des possibles, et leur apprendre à jongler avec les tracasseries de la vie, à dompter ses craintes, à puiser en soi des ressources insoupçonnées. Tous les artistes présents ce soir ont donné tout ce qu'ils avaient, simplement pour faire la différence. Et à mes yeux, ils sont en cela de purs faiseurs de miracles.

– Mais où sont-ils tous passés ?

Henry me sourit.

– Oh, qui peut le dire ? Peut-on se demander d'où viennent les miracles et où ils repartent ? On ne peut que se sentir plein de gratitude lorsqu'il surviennent, et faire de même une fois qu'ils s'en sont allés.

De nouveau, il eut une violente quinte de toux. Cette fois, la douleur le plia en deux. La crise passée, il eut un regard plein d'excuse vers moi, puis jeta un autre coup d'œil au chapiteau, et acquiesça comme s'il entendait quelqu'un lui parler.

– Maintenant, mon ami, je crois qu'il est temps pour moi aussi de tirer ma révérence. Et de te donner une dernière leçon.

Perplexe, je le dévisageai, secouant la tête.

– Quoi ? Partir ? Vous ne pouvez pas ! J'ai… J'ai encore besoin de vous ! Je n'ai pas encore obtenu mes réponses…

Henry me sourit de plus belle.

– Oh, je suis certain que l'aventure t'en a déjà fourni tout un tas.

Je secouai la tête de plus belle.

– Oui… mais non ! Je veux dire, oui, j'ai eu beaucoup de réponses… mais pas celles que je cherchais ! Je ne sais toujours pas ce qui est arrivé à Mary, ni ce que signifie cette enveloppe. Ni pourquoi vous m'avez tant aidé. Et puis, ce que tout cela…

Il leva la main.

– Chut. Patience. Comme je disais, j'ai une dernière leçon pour toi. Elle te livrera peut-être quelques réponses supplémentaires.

Souriant, il se mit à tourner en rond autour de moi.

– Revenons à mes commentaires à propos des artistes. À mon avis, ils ont un enseignement à nous transmettre. Tu vois, nous sommes nombreux à vivre en cherchant désespérément à attirer l'attention. Nous vivons pour qu'on nous remarque, qu'on nous accepte, qu'on nous estime. Nous vivons comme si nous occupions l'anneau central, sur la piste, comme si le monde entier devait nous admirer et applaudir chacun de nos faits et gestes. Mais, dans cet univers, un petit nombre de personnes vit pour faire sourire les autres, leur rappeler la magie et l'espérance qui les entoure, les amener à découvrir leur propre potentiel. Chaque fois que des gens pareils finissent sous les feux des projecteurs, ils en profitent pour guider leurs semblables de l'ombre à la lumière. Ces gens sont des faiseurs de miracles. Ce sont eux qui incarnent la dernière leçon que je vais te donner.

Henry leva les yeux, et l'éclairage du Grand Chapiteau fut instantanément coupé. La lumière tamisée d'un nouveau projecteur baigna la zone où nous nous tenions, au milieu de l'anneau. Une seconde plus tard, deux pinceaux lumineux similaires éclairèrent les anneaux plus petits entrelacés au nôtre, à droite et à gauche.

– Imagine un instant que l'anneau où nous sommes représente le présent. Le petit sur notre gauche est le passé et le petit à droite, l'avenir. Je pense que l'éclat de ton expérience, à n'importe quel moment de ta vie, se fondera toujours sur la façon dont tu considères ces trois anneaux. Je vais te dire comment les gens, pour la plupart, vivent leur vie. Ils regardent l'anneau de gauche et s'interrogent. « Voici ce qui m'est arrivé dans le passé. Pourquoi tout cela s'est-il produit ? Qu'en ai-je retiré ? » Ils regardent l'anneau central et s'interrogent. « Que m'arrive-t-il en ce moment ? Pourquoi tout cela est-il en train de se produire et qu'est-ce que ça m'apporte ? » Ils regardent l'anneau de droite et s'interrogent encore. « Que m'arrivera-t-il dans l'avenir ? Comment tout cela finira-t-il pour moi et qu'est-ce que ça m'apportera ? »

À mesure qu'Henry parlait, le projecteur braqué sur nous baissait d'intensité. Me souriant, il désigna l'anneau de gauche, et ce que je découvris me pétrifia.

Pratiquement tous ceux qui avaient compté pour moi s'y trouvaient. Mon père, Maman, mon grand-père et ma grand-mère, mes proches amis du lycée et de l'université également, mes ex-collègues, mes petites amies, mes professeurs, mes mentors... Tous me fixaient, placides.

Henry fit un geste pour les désigner tous.

– Tu les vois ? Toute ta vie ou presque, tu les as côtoyés, et tu as traversé des épreuves à leurs côtés en te demandant : « Pourquoi fallait-il que j'en passe par tout ça ? À quoi bon ? Quel est le sens de tout ça ? Qu'ai-je retiré des expériences partagées avec tous ces gens ? »

Il vint se camper face à moi.

– Admets-tu que, d'une façon ou d'une autre, tu t'es posé ces questions ?

Je voyais bien que tous ceux qui occupaient le cercle guettaient ma réponse.

– Oui.

Henry hocha la tête.

– À présent, laisse-moi te poser une autre question.

T'es-tu jamais demandé quelle influence tu avais pu exercer sur la vie de ces gens ? Ce que tu avais bien pu leur *apporter* ?

La réponse, je la connaissais. Et je ne voulais pas l'avouer.

Henry me saisit par le bras pour m'entraîner tout au bord de l'anneau.

– Regarde-les ! ordonna-t-il, sévère. T'es-tu jamais demandé : « Que leur ai-je *donné* ? »

J'inspectai de nouveau le cercle. Ma famille guettait toujours ma réponse. Le sourcil froncé, mes amis attendaient. Mes ex-petites amies croisèrent les bras.

Toussotant, avec un petit rire, je lâchai :

– J'ai fait de mon mieux pour…

Me prenant par les épaules, Henry me dévisagea intensément.

– T'es-tu jamais posé la question ?

Je secouai la tête.

– Non.

Au-dessus de l'anneau de gauche, l'éclairage fut coupé. Les gens disparurent.

Je regardai Henry.

– C'est quoi, ça ? Un voyage au pays de la culpabilité ?

Il me renvoya mon regard, impassible.

– Je ne t'ai pas demandé de te sentir coupable. J'ai juste demandé s'il t'était déjà arrivé de réfléchir à ce que tu avais pu apporter aux autres.

De nouveau, il tourna autour de moi, et l'éclairage du Grand Chapiteau s'éteignit.

Quand les lumières revinrent, j'étais au milieu d'une foule de personnes toutes tournées vers l'anneau central. Je jouai des coudes pour venir au premier rang voir ce qui mobilisait ainsi l'attention générale. Je ne reconnaissais personne. Jusqu'à ce que je parvienne au centre, où je me découvris moi-même, assis à un bureau. Sur le côté, Henry m'observait.

– Et ce gars-là... tu crois qu'il est en train de se demander : « Qu'est-ce qui m'arrive en ce moment ? Pourquoi tout cela se produit-il et qu'ai-je à y gagner ? »

Je hochai la tête.

Henry désigna alors les gens regroupés autour du bureau. Je reconnus soudain des collègues et des amis. Mary et sa famille se tenaient de l'autre côté.

Henry me désigna de nouveau le bureau.

– Et crois-tu que ce type se demande : « Que suis-je en train de faire évoluer dans mon existence ? Qu'est-ce que *j'apporte* aux autres en ce moment ? »

Je secouai la tête.

L'obscurité s'abattit à nouveau sur le Grand Chapiteau.

– Comprends-tu où je veux en venir ? demanda Henry, en revenant devant moi.

– Oui, mais... Qui étaient tous ces gens ?

Le faisceau d'un projecteur nous fit émerger de l'ombre, Henry et moi, debout dans l'anneau central. Nous étions seuls.

– Les personnes avec lesquelles tu as des contacts pratiquement tous les jours de ta vie. Ceux qui travaillent dans l'épicerie de ton quartier, dans la bibliothèque que tu fréquentes, dans ton bistrot, dans ta station-service. Ceux que tu croises régulièrement dans la rue. Ceux qui, dans ta communauté, t'ont sollicité. Tous ces gens que tu ne remarques pas, que tu remercies du bout des lèvres ou à qui tu refuses un sourire. Ceux qui t'ont apporté quelque chose sans jamais rien recevoir de ta part, pas même un remerciement.

– Henry, tout ça est assez injuste ! protestai-je. Je ne peux pas faire la différence dans la vie de *chaque personne* que je rencontre ou que je croise par hasard !

Il secoua la tête.

– Tu as raison. Désolé. Peux-tu dans ce cas me citer une seule personne pour laquelle tu le fais ?

J'ouvris la bouche pour assurer ma défense, puis me ravisai. C'était lui qui avait raison.

Au-dessus de nous, l'éclairage baissa encore.

Henry désigna l'anneau de droite.

– Tu sais où cela mène ?

Je hochai la tête.

– Au futur. Je me suis toujours inquiété de ce qui risquait de m'arriver le lendemain, pas de ce que je pourrais changer au présent ou donner aux autres. C'est ce que vous êtes en train de dire, ajoutai-je après un profond soupir, en secouant la tête. C'est la vérité, n'est-ce pas ?

Henry me regarda tristement. Puis l'éclairage disparut.

Après quelques instants d'obscurité et de silence, il reprit la parole.

– Tu vois, dans leur immense majorité – dont tu fais probablement partie –, les gens vivent leur vie comme s'ils étaient à la merci des caprices du hasard, le jouet des circonstances, et comme s'ils étaient censés obtenir quelque chose de l'univers. En ce monde cependant, les faiseurs de miracles sont les gens qui *vivent par choix* et qui *vivent pour apporter leur contribution.* Ils se demandent ce qu'ils initient, ce qui arrive grâce à eux et ce qu'ils donnent à leur entourage. Après ton expérience dans ce parc, je pense que tu as probablement appris beaucoup quant à la question de choisir son existence plutôt que de la subir. Ma dernière leçon concernera donc la notion de contribution, et elle est fort simple : si tu veux que l'expérience de ta vie ait de l'éclat, choisis de contribuer.

Soudain, le projecteur braqué sur l'anneau central se ralluma, à pleine puissance cette fois.

Henry se tenait à l'intersection entre l'anneau central et le gauche. Il me fit signe de le rejoindre.

– Ce ne sont pas des mots en l'air, continua-t-il alors que j'approchais. J'espère que tu l'as perçu. Je me suis efforcé d'apporter ma contribution à ton existence. J'ai tenté de faire la différence. Et j'espère y être parvenu.

– Mais bien sûr, Henry. Naturellement.

Il sourit.

– Bien. Je suis heureux d'avoir pu t'aider. Je pense que tu es...

– Mais *pourquoi* m'avez-vous aidé, Henry ? D'après ce que tout le monde m'a dit, c'était une sacrée décision...

Henry changea de position.

– Tu sais, apporter son aide, c'est toujours une grosse décision. Il faut parfois sacrifier son temps et son énergie. Tu dois...

– Non, Henry, plus de leçons ! Pourquoi m'avoir aidé, moi ? Et qu'avez-vous sacrifié ?

Il me serra le bras.

– Eh bien, tu vois qui est soudain plus fort et qui mène la conversation... ! Le domptage des lions t'a fait pousser des ailes, on dirait ?

Je hochai la tête puis haussai les sourcils, d'un air interrogateur.

Henry comprit que je ne le laisserais plus biaiser.

– C'est bon, c'est bon... Je t'ai aidé parce que je m'en savais capable. C'est aussi simple que ça. Je suis dans ce parc depuis bien longtemps. Quand j'ai vu ton enveloppe, j'ai compris que quelque chose s'était très mal passé, et j'ai su que je pourrais percer le mystère. J'ai su que je le *devais*, dans ton intérêt comme dans celui des milliers de visiteurs qui viendraient après toi.

– Et que vous a coûté cette décision ? Si tant de gens passent par ici, pourquoi le fait de m'aider revêt-il une telle importance ?

Marquant une pause, Henry tenta de contenir sa toux.

– Parce que... parce que même les prodiges ont leur commencement et leur fin. Comme je le disais, je suis ici depuis bien longtemps. Aucun miracle ne dure éternellement, et je savais que mon temps était écoulé. Tout le monde le savait, d'ailleurs. J'avais conscience qu'il me restait un dernier miracle à accomplir, et ensuite...

Il tourna son regard en direction des gradins, donnant de petits coups de pied dans la terre battue.

– Et ensuite... ? l'encourageai-je.

– Ensuite... Eh bien, je ne sais pas. Quand notre mission s'achève, nul d'entre nous ne connaît le sort qui l'attend. Ici, dans ce parc, nous savons seulement que lorsque notre heure est venue, nous quittons l'anneau et disparaissons pour toujours. Les artistes de ce soir reviendront encore demain car il leur reste des prodiges à accomplir. Moi ? Eh bien, dès que j'aurai franchi le bord du cercle ce soir... terminé.

Il me regarda, songeur.

– Je vous ai choisi pour être mon dernier miracle.

Le dernier tour
de manège

Henry et moi restâmes silencieux quelques instants. Puis l'intensité du projecteur se réduisit.

Soupirant, il releva les yeux.

– Il est temps pour moi de parachever mon miracle.

– Attendez ! m'exclamai-je, surpris de l'urgence qui perçait dans ma voix.

Un millier de questions assaillit mon esprit. Qu'allait-il arriver à Henry ? Où irait-il ? Où avaient disparu les artistes ? Quel était cet endroit… ? Mais toutes ces interrogations n'étaient rien en comparaison de la plus importante de toutes…

– *Qu'est-il arrivé à Mary ?* Avant que tout cela finisse, Henry, et quoi que ça puisse être, je dois savoir ce qui s'est produit ! Vous avez dit que des milliers de gens étaient venus là, ou viendraient pour vivre une expérience similaire à la mienne. C'est ça qui est arrivé à Mary ? Elle a traversé les mêmes épreuves que moi ?

Henry acquiesça.

– Des leçons comparables, oui. Mais relatives à sa propre existence.

— Alors que s'est-il passé ? Vous pensiez pouvoir comprendre ce qui avait pu déraper, lui dis-je avec un regard anxieux. Est-ce le cas ?

Il hocha la tête.

— Oui. Il y a effectivement eu un dérapage dans un des manèges. Mais je ne peux pas te dire ce qui s'est passé précisément. Tu devras le découvrir par toi-même.

Il se tut un instant, puis se tourna vers l'anneau gauche.

— À présent, il est temps pour moi de finir mon travail…

— Mais j'ai tant de…

— Dis-moi, coupa-t-il d'une voix forte, selon toi, quelle était la personne qui tenait le plus à toi ?

J'entendis bien sa question, mais je voulais arrêter le processus en cours, quel qu'il soit. J'avais encore trop de questions.

— Henry, je…

— Pour qui comptais-tu le plus ? insista-t-il.

Posant la main sur mon épaule, il plongea dans mes yeux un regard perçant.

— Ma mère.

Il sourit.

— C'est ce que je pensais.

Se tournant, il inspecta de nouveau l'anneau gauche. Je suivis la direction de son regard.

Ma mère se tenait là, au centre de l'anneau. Elle n'avait pas changé depuis le jour de ma fête, celui de l'accident de la route qui lui avait coûté la vie. Elle avança vers nous, s'arrêtant à l'intersection des deux anneaux.

– Bonjour, mon chéri…

Je la considérai presque sans émotion, persuadé qu'il s'agissait d'un mirage ou d'une projection quelconque, comme ça avait été le cas de Mary, et qu'en un clin d'œil, elle aussi se volatiliserait.

Puis elle passa sur l'anneau central et m'étreignit. Je sentis ses bras autour de moi, ses battements de cœur, son parfum… Elle était bien réelle.

– Maman ?

Je l'attirai à moi, la serrant de toutes mes forces sur mon cœur, pour être sûr que je ne rêvais pas. Il y avait quelques heures de cela, dans la Chambre de Vérité, j'avais ardemment désiré pouvoir la prendre dans mes bras. Toute ma vie, j'avais rêvé qu'il fût possible de la prendre dans mes bras une dernière fois.

– Maman ? C'est vraiment toi ?

– Oui, mon chéri, assura-t-elle en me tenant étroitement serré contre elle. Et j'ai quelque chose à te donner. Mais d'abord, te rappelles-tu la promesse que tu m'avais faite ?

Je voulus acquiescer mais j'avais la gorge nouée. Je hochai la tête.

– Bien, dit-elle, ravie. C'est formidable. Maintenant, j'ai quelque chose qui te rappellera toujours cette promesse. Je veux que tu le gardes sur toi aussi longtemps que tu tiendras parole. D'accord ?

Elle s'écarta de moi pour me tendre une enveloppe. Souriant toujours, elle repassa dans l'anneau gauche.

– Je suis fière de toi, mon fils. Fière de tout le chemin que tu as parcouru… À présent, prends cette enveloppe et ne l'ouvre pas avant qu'on t'y invite, d'accord ?

J'essuyai mes larmes, et acquiesçai. En la regardant, debout dans l'anneau gauche, je ressentis en moi un vide immense. Et j'avançai vers elle.

Levant une main, elle m'arrêta.

– Tout va bien, mon fils. Reste où tu es. Dans l'instant présent. C'est là que se trouve ta place. Et c'est là que tu honoreras ta promesse, me dit-elle en souriant, les larmes aux yeux. Vis ta vie, mon chéri. Je t'aime.

Le projecteur qui l'éclairait diminua d'intensité, et elle disparut.

Les yeux pleins de larmes, je me mordis la lèvre pour ne pas perdre le contrôle. Je baissai la tête vers l'enveloppe, puis retirai celle de Mary de la poche arrière de mon pantalon. Elles étaient de la même taille et de la même couleur. Sauf que celle de Mary était tachée de sang.

Relevant les yeux vers Henry, je le vis boitiller lentement et s'approcher de l'endroit où les artistes s'étaient volatilisés.

Je courus le rattraper.

– Attendez, Henry ! m'écriai-je en lui tendant ce que ma mère venait de me donner. C'est l'enveloppe que Mary a reçue, n'est-ce pas ? La même ?

– Oui, répondit-il d'un filet de voix.

Il était si pâle qu'on l'aurait cru sur le point de perdre connaissance.

– Henry, ça va ?

Le sourire aux lèvres, il continua de clopiner.

– Henry, l'enveloppe… Mary l'a obtenue de la même façon que moi ? Des mains d'une personne aux yeux de qui elle comptait plus que tout au monde ?

Il hocha la tête.

– Oui, de son petit frère.

Je me figeai sur place. Je pouvais imaginer la violente émotion qui avait dû étreindre Mary quand elle avait revu son frère cadet, et qu'il lui avait remis l'enveloppe.

– Que contient-elle, Henry ? Et pourquoi Mary ne l'a-t-elle jamais ouverte ? Pourquoi me l'a-t-elle donnée ? Pourquoi m'a-t-elle demandé de la remettre à son frère ?

Sans cesser d'avancer vers le bord du cercle central, Henry inspecta attentivement le sol.

– Je regrette, mais l'heure n'est pas encore venue pour toi de découvrir ce que l'enveloppe contient. Pourquoi Mary n'a-t-elle pas ouvert la sienne ? Parce qu'on ne l'y a jamais invitée. De même que ta mère vient de te recommander de ne pas l'ouvrir tant que tu n'en recevras pas l'instruction, Todd lui a demandé de ne pas décacheter la sienne. Comme elle n'a jamais achevé son voyage ici, personne n'a eu l'occasion de l'y autoriser. Pourquoi te l'a-t-elle donnée ? Parce qu'elle croyait savoir ce qu'elle contenait.

S'arrêtant, il me regarda.

– Tu te souviens pourquoi j'avais dû me porter garant pour toi, à l'entrée du parc ?

– Oui, je n'avais pas d'invitation.

– Exactement. Vois-tu, tout le monde vient ici sur invitation, comme le sorcier te l'a dit, quand tu t'es lancé dans l'aventure. Tous les visiteurs ont reçu leur ticket d'entrée des mains d'une personne pour qui ils comptent ; c'est le sésame qui leur ouvre les portes de ce lieu magique. Mary tenait aussi le sien des mains de quelqu'un. À mon avis, elle a dû croire que l'enveloppe contenait cette invitation, et c'est pourquoi elle te l'a remise. Comme elle te l'a dit, elle voulait que tu fasses à ton tour l'expérience de ce lieu.

Je réfléchis, m'efforçant de bien assimiler toutes ces informations. Une question me vint à l'esprit.

– Qui lui a donné l'invitation ?

Henry secoua la tête.

– Je l'ignore.

Il recommença à s'éloigner du centre de l'anneau.

– Mais pourquoi voudrait-elle que je transmette l'enveloppe à son petit frère ?

– Je l'ignore. Peut-être a-t-elle eu des hallucinations suite à son accident. Depuis que son frère la lui a remise, elle pensait peut-être à lui. Je ne sais pas.

Parvenu au bord du cercle, Henry baissa les yeux sur le sol, de l'autre côté. Puis il porta vers moi un regard serein.

– Il est temps pour moi de partir.

– Attendez ! protestai-je, l'esprit en ébullition. Henry, je vous en prie, ne partez pas ! Je ne sais toujours pas ce qui est arrivé à Mary ! Pourquoi n'est-elle pas allée jusqu'au bout ?

Le regard rivé au bord de l'anneau central, Henry resta silencieux. On aurait dit qu'il allait s'endormir debout.

Je le secouai par l'épaule.

– Henry ?

Il me considéra, comme au sortir d'un rêve. Puis il répondit sans détour :

– Tous ont droit à un dernier tour de manège avant de repartir chez eux. En sortant, ils ouvrent leur enveloppe. C'est le meilleur, dans un parc d'attractions : le dernier manège. N'ayant jamais bouclé son tour, Mary n'a pas pu décacheter son enveloppe.

– Quel tour, Henry ? Et pourquoi n'a-t-elle pas pu aller jusqu'au bout ?

Il jeta un coup d'œil vers la sortie.

– Là-dehors, Manivelle t'attend. Il t'emmènera sur le site de son dernier tour de manège.

Se tournant vers moi, Henry me tendit une main tremblante pour que je la lui serre.

– Il est temps que j'y aille.

– Non ! m'écriai-je. Je ne suis pas prêt !

Je repensai à tout ce par quoi je venais de passer, à toutes les questions qui me tourmentaient encore. Je n'étais pas certain de réussir à affronter la vérité, quant au sort échu à Mary, sans Henry à mes côtés.

– Vous ne pouvez pas partir… Vous ne pouvez pas !

Se rapprochant de moi, il me serra doucement dans ses bras, puis me chuchota à l'oreille :

– Merci, fiston. Tu as fait du bon boulot ici. Si tu n'étais pas venu à nous, nous n'aurions jamais découvert l'erreur.

Les larmes aux yeux, il s'écarta.

– Tu te rappelles la promesse faite à ta mère ? Garde toujours à l'esprit que tu peux être celui que tu souhaites, quels que soient les obstacles dressés sur ta route et faire tout ce qui te plaira... Et n'ouvre surtout pas cette enveloppe avant qu'on ne t'y invite.

Alors qu'il s'apprêtait à sortir du cercle, je le rattrapai par le coude, lui jetai un regard pressant... et réalisai que je ne savais que dire. Les larmes me montèrent aux yeux. Ma voix se brisa.

– Henry... J'ignore comment vous remercier... Je ne peux même pas commencer à...

Je le dévisageai avec contrition.

D'un geste doux, il ôta ma main de son coude.

– Je sais, gamin. Ne t'en fais pas. Tout le plaisir était pour moi, dit-il, me tapotant la main avant de me lâcher. Ecoute, je suis fier de toi. Et heureux que tu aies été mon dernier miracle.

Avec un sourire affectueux, il franchit le bord du cercle, puis se volatilisa.

Triturant sa ceinture pleine d'outils, Manivelle se tenait devant le Grand Chapiteau. Quand il m'avisa, près de l'entrée, je voulus lui dire bonjour. Mais à la place, je m'entendis annoncer :

– Henry est parti...

Manivelle hocha la tête.

– Je sais. Ne vous en faites pas. J'ai pu lui faire mes adieux tout à l'heure. Nous lui avons tous dit au revoir.

En silence, nous contournâmes les cages aux fauves, puis remontâmes la promenade entre les bateaux tamponneurs et la Salle des Miroirs. J'étais tellement perdu dans mes pensées que je ne m'aperçus pas que la foule s'était volatilisée, jusqu'à ce que nous longions le carrousel. Il ne fonctionnait plus. Pas plus que le Cyclone. Un silence surnaturel planait de nouveau sur le parc. Sous nos chaussures, le crissement du gravier semblait se répercuter à des kilomètres à la ronde dans l'air nocturne, tandis que nous nous dirigions toujours vers le nord, et la montagne.

Une fois passé le vaisseau pirate, à l'intersection de la promenade et du champ où se dressait la tente de Rude l'Hypnotiseur, le sentier bifurquait à droite, vers un bosquet de hauts conifères.

Manivelle me guida vers un petit chemin de terre battue qui encerclait le champ. Nous le remontâmes jusqu'à une zone boisée, au pied de la montagne. Les lampadaires bordant le champ n'éclairaient pas la zone où nous nous tenions. Manivelle détacha une torche électrique de sa ceinture pour éclairer la voie devant nous. Je vis que le terrain s'inclinait légèrement pour déboucher sur un petit quai d'amarrage, au bord d'un étang.

Manivelle braqua sa torche électrique sur l'arche qui décorait le quai, et d'où pendait un panneau.

– C'est ici que les choses ont mal tourné pour Mary, annonça-t-il.

« TUNNEL DE L'AMOUR », disait le panneau.

Nous prîmes place dans une petite barque à deux places qui se trouvait là.

– Ecoutez, mon petit bonhomme, déclara Manivelle en désignant les rames, n'allez pas imaginer que je vais faire quoi que ce soit !

Eclatant de rire, il éclaira la surface cristalline de l'étang pour révéler la présence de rails à fleur d'eau.

– Vous n'aurez pas à ramer : tout est automatisé ici. Autrefois, nous laissions les couples pagayer à leur guise dans le tunnel, mais ils y passaient la nuit entière à s'y expliquer et s'y réconcilier, et ça causait des embouteillages. Alors nous avons fini par fermer l'attraction pour y poser des rails et contrôler ainsi la cadence. Pour ce faire, il a fallu assécher l'étang autant que possible, avant de pouvoir poser les guides métalliques. Un vrai cauchemar ! J'ai passé une année entière trempé comme une soupe à participer à ce réaménagement ! Voilà pourquoi Henry m'a demandé de vous emmener là : je connais le circuit par cœur !

– Et c'est par cette attraction que Mary avait voulu terminer ?

– Oui. Au bout du compte, l'amour a toujours le dernier mot.

– Savez-vous ce qui est arrivé à Mary ?

– J'ai ma petite idée, mais aucune certitude. Depuis qu'Henry m'en a parlé, j'ai vérifié le circuit une dizaine de fois, et je n'ai pas détecté la moindre anomalie. Mais cela dit, cette attraction, comme toutes les autres, est différente pour tous ceux qui en font l'expérience. J'espère qu'en l'expérimentant à notre tour, nous aurons le fin mot de l'histoire. D'après Henry, puisque Mary et vous formiez un couple, vos deux expériences devraient se ressembler. Vous étiez bien amoureux, n'est-ce pas ?

Je hochai la tête.

– Bien.

Manivelle tendit le bras vers un boîtier relié à un gros câble électrique, pressa sur un bouton vert et notre barque eut un sursaut.

– En avant !

Notre embarcation prit en douceur la direction de l'embouchure sombre du tunnel, au pied de la montagne.

– Le passage est-il éclairé ? demandai-je. Y verrons-nous quelque chose ?

– Vous verrez ce que votre cœur doit voir, répondit Manivelle avec douceur.

Pendant les dix premiers mètres, Manivelle laissa sa torche électrique allumée. Les parois étaient basses, étroites et humides. Je me sentis un peu claustrophobe.

Manivelle éteignit sa torche.

– Gardez les yeux ouverts.

Une obscurité étrange régnait. Tous les sens en alerte, je sentis les poils se hérisser sur mes bras sous le courant d'air froid et humide. J'entendais l'eau goutter et s'écouler tout autour de nous. Il y avait des relents de moisissure. Je sentais mon cœur battre follement.

– Regardez ! souffla Manivelle.

Je ne voyais rien.

– Regardez ! insista-t-il.

Au-devant, une lueur apparut, et disparut, telle une luciole. Je plissai le front.

Une autre lueur, plus proche.

Encore une autre, toujours plus près.

Les parois du tunnel se mirent à luire d'un rouge violacé, avec assez d'éclat pour que je distingue cette fois le bout de mon nez. Notre embarcation prit de la vitesse. Les parois commencèrent à changer de couleur : un noir de jais aux reflets bleutés... du pourpre, de nouveau... du fuchsia... du rose... Puis les couleurs virevoltèrent.

Nous accélérions encore. Au point que les remous causés par la barque devenaient presque assourdissants. Des tourbillons de couleur surgirent soudain des images.

Ma mère me tenait, dans ses bras, bébé. Sa voix résonna soudain dans tout le tunnel.

– Quel merveilleux bébé ! Je t'aime, mon fils !

Mon père me donnait la main, au parc, quand j'étais petit, et riait de me voir soulever une tortue, intrigué, avant de la reposer. Sa voix fit écho à celle de ma mère :

– Eh, ma petite tortue, je ne t'ai jamais dit que je t'adorais ?

Mon grand-père me serrait sur son cœur avant de me hisser au-dessus de sa tête.

– Quel bon petit garçon ! Je t'aime !

Ma grand-mère me hissait sur le dos d'un cheval et souriait :

– Je suis si heureuse de t'avoir. Je t'aime !

Notre embarcation fit une nouvelle embardée.

Le kaléidoscope de couleurs, sur les parois du tunnel, s'accéléra encore.

Je me revis devant la voiture que je possédais du temps du lycée. Ma première copine se penchait vers moi pour m'embrasser. Son chuchotement se répercuta à travers tout le tunnel :

– Je t'aime…

Penché au-dessus d'une table, je prenais entre les miennes les mains de ma petite amie, à l'université.

– Je t'aime, dit-elle.

Sa voix aussi résonna dans le tunnel.

Le jour de la remise des diplômes, j'étreignais mon meilleur copain.

– Nous resterons en contact ! me disait-il. Je t'aime vraiment beaucoup, mon pote…

L'embarcation fit un bond en avant. La lumière vira au pourpre, puis au rose et au bleu.

Le visage de Mary apparut sur les parois. Les couleurs tourbillonnaient follement.

Elle et moi sommes au lit.

– Je t'aime, dit-elle en se pelotonnant contre ma poitrine.

Nous sommes à table, chez ses parents. Elle se penche vers moi.

– Merci d'être si bon, mon chéri. Je t'aime.

Côte à côte devant le lavabo, nous nous brossons les dents.

– Ve ff'aiiimve, articule-t-elle.

Je viens de la demander en mariage, et nous nous serrons dans les bras l'un de l'autre.

– Je t'aime, dit-elle, en larmes.

L'embarcation accéléra encore.

Le sillon creusé par l'étrave soulevait de l'écume qui m'éclaboussait les jambes et le visage. Des visions de nos prises de bec, à Mary et à moi, commencèrent alors à se succéder par éclairs le long des parois... Des milliers d'images fragmentées. Les éclats de voix de centaines de querelles tonnèrent à travers le tunnel, assourdissants.

– Que se passe-t-il ? hurlai-je à Manivelle.

Il ne répondit pas.

J'entendis le bruit de l'eau se mêler à nos disputes.

Sur les parois, les images se fondirent les unes aux autres, puis en formèrent une nouvelle.

Assise devant une boule de cristal posée sur une table, Mary pleure à chaudes larmes.

– Dois-je le quitter ? demande-t-elle.

Le visage de Meg émerge à son tour.

– Oui, répond-elle, il ne changera jamais. Il n'a aucun but dans la vie, il sera toujours à la dérive.

Mary éclate en sanglots.

– *Non !* m'entendis-je hurler par-dessus le vacarme infernal de l'eau et les échos qui résonnaient le long des parois.

– Oh, non ! s'écria Manivelle. *C'était Meg !* C'est elle, la cause de tout ça... *Elle a attenté à l'amour !*

– Quoi ? braillai-je, le cœur et l'esprit en ébullition.

– Meg a conseillé à Mary de vous quitter ! Elle a fait *dérailler* l'amour ! Voilà où tout est allé de travers !

Une vague se fracassa contre notre embarcation, et j'entendis un craquement retentissant.

– Les rails ! cria Manivelle.

Les flots tonitruants soulevèrent notre bateau, le propulsant sur le côté, dans un autre tunnel. Nous avions les jambes trempées. L'embarcation coulait. Les parois cessèrent de luire. L'obscurité fut totale.

– Que se passe-t-il ? m'écriai-je.

Ballottée par les remous, notre barque se renversa, nous projetant dans la rivière en colère. La force du courant me plaqua contre la roche. Je luttai pour garder la tête hors de l'eau.

– Manivelle !

Aucune réponse.

En avant, le fracas des eaux devenait encore plus infernal. Puis, au détour d'un méandre du tunnel, je vis éclore une lueur. On aurait dit le clair de lune.

– C'est la fin ! hurla Manivelle.

Sa voix me parvenait de très loin.

Le courant m'entraîna au-delà du détour et, dans la nuit qui se profilait au loin, je vis se dessiner une petite ouverture.

Les parois se resserrant, le courant m'éjecta par cette ouverture avec la puissance d'une lance à incendie. Je percutai le sol, et le torrent m'emporta, me faisant dévaler une colline couverte de feuilles, de brindilles et de boue. Je terminai au fond d'un petit ravin, sur le bas-côté d'une route. Le souffle coupé, je tournai la tête vers l'endroit d'où je venais. À flanc de montagne, un torrent jaillissait encore avec impétuosité du haut de l'étroite embouchure d'une grotte.

J'entendis Manivelle hurler de toutes ses forces avant de le voir jaillir à son tour dans le vide. Entraîné par le courant, il suivit la même trajectoire que moi, et vint finir sa course à mes côtés, au bord de la route.

J'entendis arriver un camion.

– *Non !*

Manivelle se redressa et se pencha au-dessus de moi, qui gisais toujours dans le ravin. Il avait le visage barbouillé de boue, mais il souriait.

Un coup de klaxon retentit.

– Maintenant, vous savez ce qui est arrivé à Mary, fit Manivelle.

Un nouveau coup de klaxon me fit sursauter. Je rouvris les yeux juste à temps pour voir un semi-remorque le percuter de plein fouet.

– *Non !* hurlai-je.

Le véhicule freina à mort, faisant fumer l'asphalte. Me relevant tant bien que mal, je boitai rapidement vers lui.

Les yeux écarquillés, le conducteur sauta à terre.

– Vous l'avez écrasé ! braillai-je.

L'homme me dévisagea, sous le choc.

Faisant le tour du semi-remorque, je m'attendais à voir Manivelle coincé sous les roues, ensanglanté et désarticulé. Il n'y avait personne.

– Écrasé qui, monsieur ? demanda le chauffeur en me dévisageant comme si j'étais cinglé. Je n'ai écrasé personne ! Je vous ai juste aperçu sur le bas-côté et me suis arrêté pour voir si vous alliez bien. Vous vous sentez bien ?

L'ouverture de
l'enveloppe

L e chauffeur tourna la clé de contact et le moteur redémarra.

– Vous êtes sûr ? insista-t-il.

– Oui. Et merci.

Hochant la tête, il me tendit la torche électrique que je lui avais demandée. L'allumant, je m'écartai de la portière côté conducteur, qu'il claqua. Après un dernier coup d'œil par la vitre, il me salua, puis reprit sa route.

À flanc de montagne, un filet d'eau s'écoulait toujours de la "fenêtre" rocheuse. Mais rien à voir avec le torrent qui nous avait rejetés dans la nuit, Manivelle et moi. Je braquai la torche sur la grotte et tentai de réfléchir à ce que j'allais faire.

Non, il faut que tu y retournes !

Je gravis le versant de la montagne et pénétrai dans la grotte. J'avais de l'eau jusqu'aux genoux, mais le courant avait nettement diminué. Obstinément, je pataugeai à contre-courant sur une centaine de mètres avant que mon pied ne heurte quelque chose. Je braquai ma torche dessus.

Des rails…

Du pinceau de ma torche électrique, je balayai les parois tout autour de moi. C'était à cet endroit qu'un paquet d'eau avait soudain arraché notre embarcation à ses rails.

Tournant à gauche, je remontai les guides métalliques jusqu'à notre point de départ. L'obscurité qui régnait dans le tunnel me causa un nouvel accès de claustrophobie. Balayant les parois du faisceau lumineux de ma torche, je tendis un bras pour les toucher. C'était bien de la roche, et rien que de la roche.

Après avoir remonté le tunnel pendant ce qui me parut être une éternité, je vis briller le clair de lune, au-devant. Eteignant la lampe, je me ruai à l'air libre.

Épuisé, je me hissai sur le quai et y restai assis quelques minutes, le temps de reprendre mon souffle. Puis j'essorai tant bien que mal mon pantalon, vidant l'eau de mes chaussures. Je me tournai à nouveau vers le tunnel et découvris que la surface de l'étang était couverte d'algues flottantes.

Je pris le chemin qui me conduisait vers le champ. Il était jonché de feuilles et de brindilles.

Je continuai, m'attendant à voir enfin scintiller les lampadaires bordant le champ.

Pas de lumière.

Mes chaussures émettant des clapotements, je persévérai, les yeux plissés en direction du champ baigné par le clair de lune. Envolée, l'estrade de Rude l'Hypnotiseur, envolée, sa tente…

Qu'est-ce que… ?

Je continuai, longeant l'espace désert, et atteignis le bosquet de pins qui séparait le champ de l'attraction suivante, le vaisseau pirate. Sur ma gauche, je cherchai des yeux la promenade. Volatilisée elle aussi. Contournant le bosquet, je m'immobilisai.

Le vaisseau pirate avait également disparu. De même que le carrousel, et le Cyclone.

La Salle des Miroirs, les bateaux tamponneurs, le Grand Chapiteau, le Pavillon du Bétail… Il n'en subsistait plus aucune trace.

Je fis encore quelques pas en avant, et réalisai que je n'étais plus sur un chemin, mais sur un tapis d'aiguilles de pin, de brindilles et de feuilles.

Je regardai le terrain où le parc s'était trouvé.

Au clair de lune, il n'en restait absolument rien.

Attends… Une chose…

Je plissai le front et discernai, à quelques centaines de mètres au-devant, sur ma gauche, les ruines de la Grande Roue.

Alors que je me rapprochais de la Grande Roue, la perplexité me gagnait. Tout cela venait-il réellement de se produire ?

Je contournai les vestiges de l'attraction, levant les yeux au sommet comme pour y quêter des réponses. Me rapprochant encore, je parvins au pied de la roue, cherchant à me convaincre que je n'avais pas rêvé.

– Une chance que la famille de Mary ait demandé que la Grande Roue reste là, fit une voix, derrière moi.

Surpris, je fis volte-face.

À une vingtaine de mètres, le sorcier était assis sur un banc, celui qu'Henry et moi avions occupé il y a quelques heures. Un enfant se trouvait à ses côtés, occupé à bricoler ses jouets.

Todd.

Interdit, je restai cloué sur place.

Le sorcier me considéra d'un air patient. Todd ne paraissait pas faire attention à moi.

– Que… que s'est-il produit ? Où sont passés tous les… ?

Je n'arrivais même plus à formuler une phrase cohérente.

Le sorcier me sourit.

– Difficile de croire qu'on n'a pas rêvé, hein ?

Je hochai la tête.

– Troisième round ! lâcha-t-il, amusé. Il est temps de regagner ses pénates.

Se levant, il caressa les cheveux de Todd, puis fit un pas vers moi.

– Avez-vous toujours ces deux enveloppes ?

– Hum… oui…, bafouillai-je.

– Puis-je les voir ?

Je tirai les enveloppes de la poche arrière de mon pantalon. Après ce qui était arrivé dans le tunnel, elles étaient trempées.

À leur vue, le sorcier sourit à nouveau.

– Laquelle est celle de Mary ?

– Celle qui a du sang sur…

Apercevant Todd, assis sur son banc derrière le sorcier, je me tus. Puis je baissai les yeux sur les deux enveloppes, et constatai que les taches de sang de Mary avaient presque disparu dans l'eau.

– La voici.

Je tendis l'enveloppe de Mary.

Le sorcier la prit, la tournant et la retournant entre ses doigts.

– Ah, quand on pense qu'elle est à l'origine de tant de choses… De votre venue ici, de la dernière leçon d'Henry, de notre découverte à propos de Meg… L'erreur qui nous a coûté un miracle… Tant d'événements causés par une malheureuse enveloppe…

Alors qu'il continuait de l'examiner, je n'arrivais plus à en détacher les yeux. Epuisé, je finis par demander :

– Que contient-elle ? Qu'y a-t-il à l'intérieur ?

Le sorcier jeta un regard à la ronde avant de revenir à moi.

– Tout simplement, deux tickets vraiment magiques. Le premier est pour vous. Le second est pour une autre personne.

– Le second est pour une autre personne, me répétai-je, les paroles d'Henry me revenant en mémoire. Est-ce le ticket d'invitation ?

Le sorcier sourit.

– En effet. Vous pouvez le remettre à quelqu'un qui vous est cher, et qui aura ainsi accès au parc. C'est un ticket d'invitation permettant aux heureux élus de vivre une expérience comparable à la vôtre dans le parc d'attractions.

– Et l'autre ticket ? demandai-je.

– L'autre est pour vous. Pour peu que vous y croyiez, ce ticket très particulier vous ouvrira les portes d'un tout autre niveau d'expérience. Avec ses possibilités illimitées, c'est un ticket pour un monde merveilleux dont vous n'aviez jamais soupçonné l'existence, un ticket qui peut se racheter tous les jours de votre vie. Il nous fut accordé à tous, je pense, le jour de notre naissance.

– Et qu'y a-t-il d'inscrit dessus ?

D'un signe, le sorcier désigna l'enveloppe que je tenais.

– Pourquoi ne pas l'ouvrir et voir par vous-même ?

– Vraiment ?

– Oui, ouvrez l'enveloppe.

Les yeux baissés, j'éprouvai au fond de moi un étrange mélange de soulagement et d'excitation qui accéléra le flux de sang dans mes veines. J'ouvris l'enveloppe, en tirai un premier ticket et lus. C'était l'invitation.

– À vous de provoquer des miracles, maintenant, continua le sorcier. Confiez cette invitation à quelqu'un qui vous est cher, d'accord ?

– Promis, répondis-je en la remettant à sa place.

Puis je sortis l'autre ticket. Un ticket doré. Le Ticket pour un Nouveau Départ... Je lus ce qui y était inscrit, puis le relus. Les événements que je venais de vivre défilèrent à toute vitesse dans ma tête : l'arrivée au parc, Big Betty et le contrat, la Chambre de Vérité, le discours du sorcier, la Grande Roue, les grandes thématiques de ma vie, les forains qui hurlaient, Rude l'Hypnotiseur, Gus et les éléphants, Willy, les boucliers et les épées, le carrousel des souvenirs heureux, Manivelle et le Cyclone, Meg et la boule de cristal, la corde raide, Larry le dompteur de lions, Mike le Costaud, la dernière leçon d'Henry... et le tunnel de l'Amour.

Avec un sentiment ineffable de révérence, je levai les yeux vers le sorcier.

– C'est votre passe, dit-il. Votre passe pour l'univers des possibles. J'espère que vous en ferez bon usage.

J'inspectai une fois de plus le Ticket pour un Nouveau Départ avant de le remettre soigneusement dans son enveloppe.

– Et maintenant, demanda le sorcier, en me tendant l'enveloppe de Mary, qu'allons-nous faire de cela ?

Je la pris, la tournant et la retournant entre mes doigts comme le sorcier l'avait fait. Secouant la tête, je la fis claquer d'un geste sec.

– Je l'ignore !

Derrière le sorcier, Todd releva soudain les yeux, comme s'il tentait de comprendre d'où provenait ce claquement. Puis il quitta son banc pour nous rejoindre. À la vue de ce que je tenais, il demanda :

– C'est quoi, ça ?

Surpris, je le dévisageai.

– Hum, c'est... juste une enveloppe, Todd.

L'enfant fronça les sourcils.

– Comment se fait-il que vous l'ayez ? Ce n'est pas le cadeau de Mary ?

La mine boudeuse, il se tourna vers le sorcier.

– C'est un cadeau pour Mary ! Je le lui avais donné !

Bouche bée, je quêtai des yeux l'aide du sorcier. Qui se contenta de me renvoyer mon regard, me laissant l'initiative de la réponse.

Avant même que je trouve quelque chose à dire, Todd m'arracha l'enveloppe des mains.

– Comment se fait-il que vous l'ayez ? insista-t-il. Comment se fait-il que Mary n'ait pas ouvert son cadeau ? Ça ne lui a pas plu ?

Horrifié à l'idée de faire une maladresse, je me tournai vers le sorcier.

– Dites-lui la vérité, me chuchota-t-il.

Je l'interrogeai encore du regard. « *Vraiment ?* »

Il hocha la tête, m'exhortant à parler à Todd.

L'enfant était manifestement bouleversé.

– Todd, dis-je, je suis certain que Mary a apprécié ton cadeau. C'est juste que… elle n'a pas eu l'occasion de l'ouvrir.

– Pourquoi ça ?

– Eh bien, parce que…

D'un autre coup d'œil, je quêtai l'assistance du sorcier.

– La vérité, me répéta-t-il dans un murmure.

Je secouai la tête.

– Eh bien, Todd, ta sœur Mary n'a pas pu ouvrir l'enveloppe parce que… eh bien, elle a eu un accident et… il a fallu l'emmener à l'hôpital.

Todd leva les yeux, perplexe.

– Comment se fait-il qu'elle n'ait pas pu l'ouvrir, après ?

Mon cœur se brisa.

– Parce que, Todd… ta sœur n'est jamais sortie de l'hôpital…

Il me dévisagea, plus perplexe que jamais.

– Mais si ! s'exclama-t-il en tendant le bras. Elle est juste là !

Plongé à mon tour dans la confusion, je regardai dans la direction qu'il m'indiquait.

Au clair de lune, je vis le mât, les six guérites complètement délabrées, et l'arche surplombant l'entrée. Rien de plus.

J'adressai un coup d'œil sceptique au sorcier.

– Regardez plus loin, m'encouragea-t-il.

Je me tournai et fouillai du regard la zone située au-delà de l'arche ; j'aperçus ma camionnette, toujours garée dans le champ. Puis je vis, juste à côté, le van de Jim et de Linda. C'est alors que je découvris, à côté du véhicule, une silhouette frêle qui s'appuyait sur des béquilles.

Je fermai les yeux de toutes mes forces, puis les rouvris.

C'était Mary.

Je regardai de nouveau le sorcier, qui souriait largement. Penché vers le petit garçon, il suggéra :

– Todd, pourquoi ne le laisserions-nous pas rendre son cadeau à Mary ?

– D'accord, dit Todd en se tournant vers moi, avant d'ajouter : Assurez-vous qu'elle l'ouvre cette fois, d'accord, monsieur ? Promis ?

Je hochai la tête, et il me tendit l'enveloppe. Puis, satisfait, souriant, il retourna jouer sur son banc.

Le sorcier se leva et me fit un sourire plus large encore.

– Il est temps pour vous de partir. Gardez en mémoire les expériences que vous avez vécues ici. Gardez en mémoire vos promesses. Et n'oubliez pas que vous aurez toujours un passe gratuit pour l'univers des possibles grâce à ce ticket doré. Allez-y maintenant.

N'en croyant pas mes yeux, je ne pouvais détacher mon regard de ma femme.

C'est encore une hallucination...

– Mais ce n'est pas possible ! m'écriai-je. Il y a quelques heures à peine, elle agonisait à l'hôpital !

– Le temps est une notion toute relative..., répondit le sorcier, énigmatique. Et les miracles ont leur propre... notion du temps...

Sans se départir de son sourire, il fit un signe du menton en direction de Mary.

– Maintenant, allez la rejoindre.

Incapable de réagir, de bouger ou même de parler, je clignai des yeux.

– Allez ! répéta-t-il avec plus de fermeté. Construisez l'existence que vous méritez !

Me prenant par l'épaule, il me poussa vers Mary.

Mes jambes obéirent machinalement. Je ne quittai pas le sorcier des yeux. Il s'était rassis près de Todd, et tous deux commencèrent à jouer ensemble.

Me tournant à nouveau vers Mary, cette fois, je sentis que je courais à sa rencontre. Je dépassai le mât, les guérites, passai sous l'arche .

Un éclair blanc aveuglant.

Je rouvris les yeux. Mary boitait vers moi en s'appuyant sur ses béquilles. Sa jambe droite était prise dans du plâtre blanc.

Je la rejoignis, m'attendant presque à la voir se volatiliser sous mes yeux comme elle l'avait déjà fait. Je pilai net à un mètre d'elle.

Les mots se bousculèrent sur mes lèvres, irrépressiblement.

– Tu n'es pas réelle… ! Tu étais à l'agonie…

Secouant la tête, elle franchit le dernier mètre qui nous séparait. Laissant tomber ses béquilles, elle me dévisagea à travers ses larmes.

– Oui… Mais je ne suis pas morte.

Tombant dans mes bras, elle me serra sur son cœur. Ses larmes roulèrent le long de mon cou.

– Tu étais mourante…, répétai-je en la serrant à mon tour de toutes mes forces, pour me convaincre qu'elle était bien là.

Je crus un instant à un autre tour de magie du parc. Pourtant, je sentais que quelque chose était différent. Moi-même, je l'étais… J'avais changé. M'écartant de Mary, j'inspectai son plâtre et ses béquilles.

– Depuis combien de temps suis-je parti ?

Elle me caressa le visage.

– Quarante jours… Exactement comme moi.

Je secouai la tête.

– Non… Ça n'est pas possible !

– C'est la vérité. Voilà comment j'ai su que je pourrais te retrouver ici cette nuit… Après ton départ, alors que j'étais en convalescence à l'hôpital, Maman m'a

Une chance de plus

appris que j'avais disparu pendant quarante jours. Je ne l'ai pas cru non plus. Mais quand tu as disparu à ton tour, j'ai su. Après mon rétablissement à l'hôpital, je suis donc rentrée à la maison et j'ai attendu cette nuit pour revenir. Je savais que tu tiendrais parole, que tu te rendrais au parc, et que des choses t'arriveraient… Comme à moi.

Presque incrédule, je pris une profonde inspiration, tandis que j'étreignais de plus belle Mary sur mon cœur.

– Ma chérie, si tu savais comme je regrette tout cela… Je ne t'ai jamais dit à quel point tu comptais à mes yeux, je…

Souriant, elle posa un doigt sur mes lèvres.

– Je sais, mon amour.

– Ah, grâce au ciel, tu es en vie… ! m'exclamai-je, la voix brisée. Tout est arrangé ! C'est fini.

– Non, mon chéri, me chuchota-t-elle à l'oreille, au contraire, c'est maintenant que tout commence.

Nous restâmes enlacés au clair de lune pendant un moment qui me parut infini.

Puis je finis par m'écarter de Mary, me rappelant ma promesse.

– J'ai quelque chose pour toi, dis-je en lui tendant l'enveloppe. De la part de Todd. Il voulait que tu l'ouvres.

Les yeux grand ouverts, elle se remit à pleurer. Décachetant lentement le pli, elle en tira le Ticket pour un Nouveau Départ, le lut, puis releva la tête vers moi en souriant.

– J'ignorais que c'était là, murmura-t-elle.

Relisant l'inscription du ticket, elle ajouta à mi-voix : « Et c'est si vrai… »

Elle m'embrassa. Nous nous serrâmes l'un l'autre pendant plusieurs autres minutes.

Cette fois, ce fut elle qui finit par rompre notre étreinte, pour remettre le ticket en or dans son enveloppe et en sortir le second. L'inspectant, elle observa :

– J'ai déjà vécu cet instant. Je me souviens du jour où j'ai reçu mon invitation.

Elle jeta un coup d'œil vers le parc par-dessus mon épaule, puis revint à moi.

– Si j'avais pensé pouvoir ouvrir l'enveloppe à l'hô-pital sans compromettre le miracle, je l'aurais fait, et je t'aurais remis cette invitation. Mais je ne savais vrai-ment pas si c'était possible. Alors je t'ai passé l'enve-loppe en espérant que ça suffirait à t'ouvrir les portes. Je suppose que même comme ça, tu as pu entrer sans difficulté, n'est-ce pas ?

– Oui, sans difficulté…

Repensant à Henry, je songeai que j'aurais beau-coup de choses à expliquer à Mary. Mais avant cela, une question me traversa l'esprit.

– Tu es entrée grâce au ticket d'invitation, c'est bien cela ? Qui t'a donné le tien ?

Mary me lança un regard hésitant, puis regarda par terre.

– Quelqu'un que j'ai rencontré il y a quelques mois. Quelqu'un qui a paru surgir de nulle part, en me disant que je comptais beaucoup pour lui…

Fouillant dans ma mémoire, je cherchai de qui il pouvait bien s'agir. En vain. Cependant, je m'aperçus que l'aggravation de nos conflits datait à peu près de cette époque. Elle s'était mise à me supplier de changer, se montrant plus pressante que jamais. Brusquement, je me sentis envahi d'un mélange de confusion et de jalousie.

– Qui, ma chérie ? Qui t'a remis cette invitation ?

– Quelqu'un qui s'était manifestement déjà rendu à Bowman et avait reçu une enveloppe avec ses propres tickets. Quelqu'un qui m'a trouvée et m'a dit que je comptais pour lui… En ajoutant que toi aussi, tu comptais pour lui. Une personne qui avait décidé de changer radicalement de vie…

Mary jeta un coup d'œil en direction de la camionnette de ses parents.

La portière côté conducteur s'ouvrit. Un vieil homme que je ne reconnus pas descendit et marcha vers nous.

Alors qu'il approchait, je tournai la tête vers Mary, dont les yeux débordaient de larmes.

L'homme nous rejoignit, souriant à Mary, puis pivota vers moi en hésitant.

Soudain, je le reconnus.

– Salut, fiston, me dit-il.

Vous souhaitez en savoir plus sur l'univers ludique et interactif de ce roman-parabole ? Vous désirez prolonger l'expérience de lecture et poursuivre l'aventure ? Nous vous invitons à nous rejoindre dès aujourd'hui sur www.unechancedeplus.com

Postface de l'auteur

Au cas où vous, amis lecteurs, aimeriez apporter votre contribution et devenir ce qu'Henry appelle des « faiseurs de miracles », je vous invite à donner bénévolement de votre temps et de votre énergie aux associations à but non lucratif de votre communauté, ou du moins à leur consentir des dons de soutien. J'indique ci-dessous mes associations reconnues d'utilité publique favorites, chacune d'entre elles faisant la différence de façon spectaculaire grâce à ses actions remarquables en faveur des enfants et de nos communautés. Une partie des bénéfices de la vente de cette œuvre revient à ces organisations. Vous pourrez en apprendre plus sur elles en visitant le site www.LifesGoldenTicket.com ou en surfant sur leurs sites Internet respectifs.

Brendon Burchard

JUNIOR ACHIEVEMENT [JA]

JA Worldwide™ (Junior Achievement) est la plus grande organisation au niveau mondial dédiée à l'éducation des jeunes gens dans les domaines de l'économie, des affaires et de l'esprit d'entreprise. JA Worldwide™

propose aux étudiants de niveau K-12 des programmes en internat ou en étude du soir. À ce jour, 139 antennes brassent approximativement quatre millions d'étudiants aux Etats-Unis, plus de trois millions supplémentaires étant en outre concernés par d'autres programmes dans 100 pays du monde entier. Pour de plus amples informations, veuillez consulter le site www.ja.org.

Kiwanis International Foundation prête son concours à Kiwanis International au nom des enfants de la Terre à travers des dons, des récompenses et des bourses d'études. Kiwanis est une organisation mondiale regroupant les bonnes volontés prêtes à se mettre au service de leurs communautés, soutenant les enfants et les jeunes adultes à travers tout un réseau constitué de 8600 foyers associatifs répartis dans 94 pays. Pour en savoir plus et voir comment vous pourriez vous investir dans ce réseau d'entraide, vous pouvez visiter le site http://kif.kiwanis.org.

[La YMCA [YOUNG MEN'S CHRISTIAN ASSO-CIATION, ou « Association Chrétienne des Jeunes Hommes »] construit jour après jour des enfants forts, des familles et des liens communautaires forts. Notre mission consiste à mettre en pratique les principes de la Chrétienté au travers de programmes visant à bâtir pour tous un esprit et une âme sains dans un corps sain. Afin de localiser le site d'une antenne YMCA proche de chez vous, ou de voir comment vous pourriez vous investir dans ce réseau, vous pouvez visiter le site www.YMCA.net.

À propos de l'auteur

Brendon Burchard a reçu son Ticket pour un Nouveau Départ il y a dix ans, lorsqu'il a survécu à un grave accident de la route dans un pays du Tiers-Monde. Depuis lors, il a consacré sa vie à aider les individus, les équipes et les organisations à initier le changement, et à le maîtriser. Coach personnel de premier plan, professeur spécialisé dans l'enseignement du leadership et conseiller en management du changement, sa clientèle compte plus de 500 entreprises, start-up, associations à but non lucratif et universités ; d'un bout à l'autre des Etats-Unis, des milliers d'individus participent à ses séminaires. C'est un habitué des plateaux télévisés et des émissions de radio, ainsi qu'un bénévole s'investissant activement dans plusieurs associations à but non lucratif. Il reverse une partie des bénéfices de la vente de ce livre à Kiwanis International, Junior Achievement et la YMCA. Il vit en Californie du Nord mais considère toujours le Montana, où il a grandi, comme son foyer.

Table des matières

Quatrième partie